KB077124

재난관련 법령의 이해 I

재난관련 법령의 이해 I

발 행 | 2024년 02월 28일

저 자 | 박찬석

펴낸이 | 한건희

펴낸곳 | 주식회사 부크크

출판사등록 | 2014.07.15.(제2014-16호)

주 소 | 서울특별시 금천구 가산디지털1로 119 SK트윈타워 A동 305호

전 화 | 1670-8316

이메일 | info@bookk.co.kr

ISBN | 979-11-410-7403-6 (93530)

www.bookk.co.kr

재난관련 법령의 이해 I

박찬석 지음

재난관련 법령의 이해 I

본 서적은 재난관리의 기본법인 재난안전법의 구성과 체계를 익히고 조문을 해석하는 역량을 키워 재난의 예방, 대비, 대응, 복구의 실무능력을 배양할 수 있도록 구성하였다.

재난안전법의 구성 파트에서는 2004년 재난안전법의 제정이유와 전체 체계를 이해할 수 있도록 축약하였다.

재난안전법 조문 정리 파트에서는 총칙부터 안전관리기구, 안전관리계획, 재난의 예방, 대비, 대응, 복구, 안전문화진흥, 보칙까지 보기 쉽게 조문을 정리하였다.

본 교재는 방재직 공무원시험과 소방안전교육사 시험의 재난관리론, 재난관련법에 관심을 갖는 일반인 모두에게 재난안전법을 보다 쉽게 접근할 수 있도록 분석틀을 제공하고자 하였다.

이 책을 통해 재난과 소방분야에 대한 중요성이 부각되고 안전문화정착에 기여함으로써 더 이상 재난으로부터 고통받는 국민들과 재난현장에서 목숨을 잃는 재난구호자가 더 이상 생기지 않기를 바란다.

마지막으로 이 책이 나오기까지 도움을 준 사랑하는 아내 석혜민박사, 딸 하연양과 제자들에게 감사의 말을 전한다.

저자 박 찬 석

:: 차 례

1장

재난 및 안전관리기본법의 구성

1. 재난 및 안전관리기본법(재난안전법)의 구성

1) 재난안전법의 제정이유 (2004.3.11. 제정, 2004.6.11. 시행)

(1) 제정이유

각종 재난으로부터 국민의 생명·신체 및 재산을 보호하기 위하여 재해 및 재난 등으로 다원화되어 있는 재난관련 법령의 주요 내용을 통합함으로써 국가 및 지방단체의 재난에 대한 대응관리 체계를 확립하고, 각 부처에 분산되어 있는 안전관리업무에 대한 총괄조정 기능을 보강하는 등 현행 제도의 문제점을 개선·보완하여 재난의 예방·수습·복구 및 긴급구조 등에 관하여 필요한 사항을 정리하려는 것임.

(2) 초기 재난안전법의 주요내용

가) 재난의 개념에 자연재해와 에너지·통신 등 국가기반체계의 마비 등으로 인한 피해를 포함하여 정의함

나) 국무총리 소속하에 국무총리를 위원장으로 하는 중앙안전관리위원회를 두어 안전관리에 관한 중요정책의 심의 및 총괄·조정 등을 하도록 함.

다) 대규모 재난의 예방·대응·복구 등에 관한 사항의 총괄·조정업무를 수행하기 위하여, 종전 주무부처에 설치되던 중앙사고대책

본부를 중앙재난안전대책본부로 명칭을 변경하여 행정자치부에 설치하도록 하고, 주무부처에는 중앙사고수습본부를 설치하도록 하는 등 국가재난관리체계를 개편함.

라) 국무총리는 중앙행정기관의 장이 제출한 안전관리업무에 관한 기본계획을 종합하여 국가안전관리기본계획을 수립하고, 중앙행정기관의 장은 소관사항에 관한 집행계획을 수립하며, 시·도지사 및 시장·군수·구청장은 해당 시·도 및 시·군·구의 안전관리업무에 관한 계획을 수립하도록 함.

마) 소방방재청과 행정기관인 재난관리책임기관의 장은 재난의 발생이 우려되는 등의 사유가 있는 때에는 소속공무원으로 하여금 긴급안전점검을 실시하게 할 수 있도록 함.

바) 대통령은 재난의 발생으로 국가의 안녕 및 사회질서 유지에 중대한 영향을 미치거나 재난으로 인한 피해의 수습·복구를 위하여 특별한 조치가 필요한 지역을 특별재난지역으로 선포할 수 있도록 하고, 국가 및 지방자치단체는 특별재난지역으로 선포된 지역에 대하여 행정·재정·금융 의료상의 특별지원을 할 수 있도록 함.

사) 시·도지사, 시장·군수·구청장 및 긴급구조기관의 장은 관할구역 안의 유지기관과 합동으로 정기 또는 수시로 재난대비훈련을 실시하도록 함.

아) 국가는 국민과 지방자치단체가 자기의 책임과 노력으로 재난에 대비할 수 있도록 재난관련 보험 또는 공제를 개발·보급하기 위하여 노력하도록 함.

2) 재난안전법의 체계

구분	조문내용
제1장 총칙	제1조 목적 제2조 기본이념 제3조 정의 제4조 국가 등의 책무 제5조 국민의 책무 제6조 재난 및 안전관리 업무의 총괄·조정 제8조 다른 법률과의 관계 등
제2장 안전관리 기구 및 기능	**제1절 중앙안전관리위원회 등** 제9조 중앙안전관리위원회 제10조 안전정책조정위원회 제10조의2 재난 및 안전관리 사업예산의 사전협의 등 제10조의3 재난 및 안전관리 사업에 대한 평가 제10조의4 지방자치단체의 재난 및 안전관리 사업예산의 사전검토 등 제11조 지역위원회 제12조 재난방송협의회 제12조의2 안전관리민관협력위원회 제12조의3 중앙민관협력위원회의 기능 등 제13조 지역위원회 등에 대한 지원 및 지도 **제2절 중앙재난안전대책본부 등** 제14조 중앙재난안전대책본부 등 제14조의2 수습지원단 파견 등 제15조 중앙대책본부장의 권한 등 제15조의2 중앙 및 지역사고수습본부

제5장 재난의 대비	제34조 재난관리자원의 관리 제34조의2 재난현장 긴급통신수단의 마련 제34조의3 국가재난관리기준의 제정·운용 등 제34조의4 기능별 재난대응 활동계획의 작성·활용 제34조의5 재난분야 위기관리 매뉴얼 작성·운용 제34조의6 다중이용시설 등의 위기상황 매뉴얼 작성· 관리 및 훈련 제34조의7 안전기준의 등록 및 심의 등 제34조의8 재난안전통신망의 구축·운영 제34조의9 재난대비훈련 기본계획 수립 제35조 재난대비훈련 실시
제6장 재난의 대응	**제1절 응급조치 등** 제36조 재난사태 선포 제37조 응급조치 제38조 위기경보의 발령 등 제38조의2 재난 예보·경보체계 구축·운영 등 제39조 동원명령 등 제40조 대피명령 제41조 위험구역의 설정 제42조 강제대피조치 제43조 통행제한 등 제44조 응원 제45조 응급부담 제46조 시·도지사가 실시하는 응급조치 등 제47조 재난관리책임기관의 장의 응급조치 제48조 지역통제단장의 응급조치 등 **제2절 긴급구조** 제49조 중앙긴급구조통제단 제50조 지역긴급구조통제단 제51조 긴급구조 제52조 긴급구조 현장지휘 제52조의2 긴급대응협력관

제9장 보칙	제66조의13 재난 및 안전관리를 위한 특별교부세 교부
	제67조 재난관리기금의 적립
	제68조 재난관리기금의 운용 등
	제69조 재난원인조사
	제70조 재난상황의 기록 관리
	제71조 재난 및 안전관리에 필요한 과학기술의 진흥 등
	제71조의2 재난 및 안전관리기술개발 종합계획의 수립 등
	제72조 연구개발사업 성과의 사업화 지원
	제73조 기술료의 징수 및 사용
	제74조 재난관리정보통신체계의 구축·운영
	제74조의2 재난관리정보의 공동이용
	제74조의3 정보 제공 요청 등
	제74조의4 재난안전데이터의 수집 등
	제75조 안전관리자문단의 구성·운영
	제75조의2 안전책임관
	제76조 재난안전 관련 보험·공제의 개발·보급 등
	제76조의2 재난안전의무보험에 관한 법령이 갖추어야 할 기준 등
	제76조의3 재난안전의무보험의 평가 및 개선권고 등
	제76조의4 재난안전의무보험 종합정보시스템의 구축·운영 등
	제76조의5 재난취약시설 보험·공제의 가입 등
	제77조 재난관리 의무 위반에 대한 징계 요구 등
	제77조의2 적극행정에 대한 면책
	제78조 권한의 위임 및 위탁
	제78조의2 벌칙 적용 시의 공무원 의제
제10장 벌칙	제78조의3 벌칙
	제78조의4 벌칙
	제79조 벌칙
	제80조 벌칙
	제81조 양벌규정
	제82조 과태료

2장

재난안전법의 조문 정리

재난안전법의 조문 정리

1) 총칙

(1) 목적

각종 재난으로부터 국토를 보존하고 국민의 생명·신체 및 재산을 보호하기 위하여 국가와 지방자치단체의 재난 및 안전관리체제를 확립하고, 재난의 예방·대비·대응·복구와 안전 문화활동, 그 밖에 재난 및 안전관리에 필요한 사항을 규정함을 목적으로 한다.

(2) 기본이념

재난을 예방하고 재난이 발생한 경우 그 피해를 최소화하여 일상으로 회복할 수 있도록 지원하는 것이 국가와 지방자치단체의 기본적 의무임을 확인하고, 모든 국민과 국가 · 지방자치단체가 국민의 생명 및 신체의 안전과 재산보호에 관련된 행위를 할 때에는 안전을 우선적으로 고려함으로써 국민이 재난으로부터 안전한 사회에서 생활할 수 있도록 함을 기본이념으로 한다.

(3) 용어정리

1. "재난" : 국민의 생명·신체·재산과 국가에 피해를 주거나 줄 수 있는 것으로서 자연재난·사회재난을 말한다

가. 자연재난: 태풍, 홍수, 호우(豪雨), 강풍, 풍랑, 해일(海溢), 대설, 한파, 낙뢰, 가뭄, 폭염, 지진, 황사(黃砂), 조류(藻類) 대발생, 조수(潮水), 화산활동, 소행성 · 유성체 등 자연우주

여 발생하는 재해

나. 사회재난: 화재·붕괴·폭발·교통사고(항공사고 및 해상사
고를 포함한다)·화생방사고·환경오염사고 등으로 인하여
발생하는 대통령령으로 정하는 규모 이상의 피해와 국가핵
심기반의 마비, 「감염병의 예방 및 관리에 관한 법률」에
따른 감염병 또는 「가축전염병예방법」에 따른 가축전염병
의 확산, 「미세먼지 저감 및 관리에 관한 특별법」에 따른
미세먼지 등으로 인한 피해

※대통령령으로 정하는 규모 이상의 피해
1. 국가 또는 지방자치단체 차원의 대처가 필요한 인명 또는 재산의 피해
2. 그 밖에 제1호의 피해에 준하는 것으로서 행정안전부장관이 재난관리를 위하
여 필요하다고 인정하는 피해

---

2. "해외재난"이란 대한민국의 영역 밖에서 대한민국 국민의 생
명·신체 및 재산에 피해를 주거나 줄 수 있는 재난으로서 정부
차원에서 대처할 필요가 있는 재난을 말한다.

3. "재난관리"란 재난의 예방·대비·대응 및 복구를 위하여 하
는 모든 활동을 말한다.

4. "안전관리"란 재난이나 그 밖의 각종 사고로부터 사람의 생명
·신체 및 재산의 안전을 확보하기 위하여 하는 모든 활동을 말
한다.

4의2. "안전기준"이란 각종 시설 및 물질 등의 제작, 유지관리 과정에서 안전을 확보할 수 있도록 적용하여야 할 기술적 기준을 체계화한 것을 말하며, 안전기준의 분야, 범위 등에 관하여는 대통령령으로 정한다.

5. "재난관리책임기관"이란 재난관리업무를 하는 다음 각 목의 기관을 말한다.
  가. 중앙행정기관 및 지방자치단체
  나. 지방행정기관·공공기관·공공단체 및 재난관리의 대상이 되는 중요시설의 관리기관 등으로서 대통령령으로 정하는 기관

5의2. "재난관리주관기관"이란 재난이나 그 밖의 각종 사고에 대하여 그 유형별로 예방·대비·대응 및 복구 등의 업무를 주관하여 수행하도록 대통령령으로 정하는 관계 중앙행정기관을 말한다.

재난관리 주관기관	재난 및 사고의 유형
교육부	학교 및 학교시설에서 발생한 사고
과학기술정보 통신부	1. 우주전파 재난 2. 정보통신 사고 3. 위성항법장치(GPS) 전파혼신 4. 자연우주물체의 추락·충돌
외교부	해외에서 발생한 재난
법무부	법무시설에서 발생한 사고
국방부	국방시설에서 발생한 사고
행정안전부	1. 정부중요시설 사고 2. 공동구 재난(국토교통부가 관장하는 공동구는 제외한다)

	3. 내륙에서 발생한 유도선 등의 수난 사고 4. 풍수해(조수는 제외한다)·지진·화산·낙뢰·가뭄·한파·폭염으로 인한 재난 및 사고로서 다른 재난관리주관기관에 속하지 아니하는 재난 및 사고
문화체육관광부	경기장 및 공연장에서 발생한 사고
농림축산식품부	1. 가축 질병 2. 저수지 사고
산업통상자원부	1. 가스 수급 및 누출 사고 2. 원유수급 사고 3. 원자력안전 사고(파업에 따른 가동중단으로 한정한다) 4. 전력 사고 5. 전력생산용 댐의 사고
보건복지부	보건의료 사고
보건복지부 질병관리청	감염병 재난
환경부	1. 수질분야 대규모 환경오염 사고 2. 식용수 사고 3. 유해화학물질 유출 사고 4. 조류(藻類) 대발생(녹조에 한정한다) 5. 황사 6. 환경부가 관장하는 댐의 사고 7. 미세먼지
고용노동부	사업장에서 발생한 대규모 인적 사고
국토교통부	1. 국토교통부가 관장하는 공동구 재난 2. 고속철도 사고 3. 삭제 <2019. 8. 27.> 4. 도로터널 사고 5. 삭제 <2019. 8. 27.> 6. 육상화물운송 사고

	7. 도시철도 사고
	8. 항공기 사고
	9. 항공운송 마비 및 항행안전시설 장애
	10. 다중밀집건축물 붕괴 대형사고로서 다른 재난관리주관기관에 속하지 아니하는 재난 및 사고
해양수산부	1. 조류 대발생(적조에 한정한다)
	2. 조수(潮水)
	3. 해양 분야 환경오염 사고
	4. 해양 선박 사고
금융위원회	금융 전산 및 시설 사고
원자력안전위원회	1. 원자력안전 사고(파업에 따른 가동중단은 제외한다)
	2. 인접국가 방사능 누출 사고
소방청	1. 화재·위험물 사고
	2. 다중 밀집시설 대형화재
문화재청	문화재 시설 사고
산림청	1. 산불
	2. 산사태
해양경찰청	해양에서 발생한 유도선 등의 수난 사고

비고
1. 재난관리주관기관이 지정되지 않았거나 분명하지 않은 경우에는 행정안전부장관이 「정부조직법」에 따른 관장 사무와 피해 시설의 기능 또는 재난 및 사고 유형 등을 고려하여 재난관리주관기관을 정한다.
2. 감염병 재난 발생 시 중앙사고수습본부는 법 제34조의5제1항제1호에 따른 위기관리 표준매뉴얼에 따라 설치·운영 한다.

6. "긴급구조"란 재난이 발생할 우려가 현저하거나 재난이 발생하였을 때에 국민의 생명·신체 및 재산을 보호하기 위하여 긴급구조기관과 긴급구조지원기관이 하는 인명구조, 응급처치, 그 밖에 필요한 모든 긴급한 조치를 말한다.

7. "긴급구조기관"이란 소방청·소방본부 및 소방서를 말한다. 다만, 해양에서 발생한 재난의 경우에는 해양경찰청·지방해양경찰청 및 해양경찰서를 말한다.

8. "긴급구조지원기관"이란 긴급구조에 필요한 인력·시설 및 장비, 운영체계 등 긴급구조능력을 보유한 기관이나 단체로서 대통령령으로 정하는 기관과 단체를 말한다.

긴급구조지원기관

1. 교육부, 과학기술정보통신부, 국방부, 산업통상자원부, 보건복지부, 환경부, 국토교통부, 해양수산부, 방송통신위원회, 경찰청, 기상청 및 산림청
2. 국방부장관이 법 제57조제3항제2호에 따른 탐색구조부대로 지정하는 군부대와 그 밖에 긴급구조지원을 위하여 국방부장관이 지정하는 군부대
3. 「대한적십자사 조직법」에 따른 대한적십자사
4. 「의료법」 제3조제2항제3호마목에 따른 종합병원
4의2. 「응급의료에 관한 법률」 제2조제5호에 따른 응급의료기관, 같은 법 제27조에 따른 응급의료정보센터 및 같은 법 제44조제1항제1호·제2호에 따른 구급차등의 운용자
5. 「재해구호법」 제29조에 따른 전국재해구호협회
6. 긴급구조기관과 긴급구조활동에 관한 응원협정을 체결한 기관 및 단체
7. 그 밖에 긴급구조에 필요한 인력과 장비를 갖춘 기관 및 단체로서 행정안전부령으로 정하는 기관 및 단체
(유역환경청 또는 지방환경청, 지방국토관리청, 지방항공청, 보건소, 지하철공사 및 도시철도공사, 한국가스공사, 한국가스안전공사, 한국농어촌공사, 한국

전기안전공사, 한국전력공사, 대한석탄공사, 한국광물자원공사, 한국수자원공사, 한국도로공사, 한국공항공사, 항만공사, 한국원자력안전기술원 및 한국원자력의학원, 국립공원관리공단, 소방청장이 정하여 고시하는 기간통신사업자)

9. "국가재난관리기준"이란 모든 유형의 재난에 공통적으로 활용할 수 있도록 재난관리의 전 과정을 통일적으로 단순화·체계화한 것으로서 행정안전부장관이 고시한 것을 말한다.

9의2. "안전문화활동"이란 안전교육, 안전훈련, 홍보 등을 통하여 안전에 관한 가치와 인식을 높이고 안전을 생활화하도록 하는 등 재난이나 그 밖의 각종 사고로부터 안전한 사회를 만들어가기 위한 활동을 말한다.

9의3. "안전취약계층"이란 어린이, 노인, 장애인 등 재난에 취약한 사람을 말한다.

10. "재난관리정보"란 재난관리를 위하여 필요한 재난상황정보, 동원가능 자원정보, 시설물정보, 지리정보를 말한다.

10의2. "재난안전의무보험"이란 재난이나 그 밖의 각종 사고로 사람의 생명·신체 또는 재산에 피해가 발생한 경우 그 피해를 보상하기 위한 보험 또는 공제(共濟)로서 이 법 또는 다른 법률에 따라 일정한 자에 대하여 가입을 강제하는 보험 또는 공제를 말한다.

11. "재난안전통신망"이란 재난관리책임기관·긴급구조기관 및 긴급구조지원기관이 재난관리업무에 이용하거나 재난현장에서의 통합지휘에 활용하기 위하여 구축·운영하는 무선통신망을 말한다.

12. "국가핵심기반"이란 에너지, 정보통신, 교통수송, 보건의료 등 국가경제, 국민의 안전·건강 및 정부의 핵심기능에 중대한 영향을 미칠 수 있는 시설, 정보기술시스템 및 자산 등을 말한다.

13. "재난안전데이터"란 정보처리능력을 갖춘 장치를 통하여 생성 또는 처리가 가능한 형태로 존재하는 재난 및 안전관리에 관한 정형 또는 비정형의 모든 자료를 말한다.

(4) 국가 등의 책무

① 국가와 지방자치단체는 재난이나 그 밖의 각종 사고로부터 국민의 생명·신체 및 재산을 보호할 책무를 지고, 재난이나 그 밖의 각종 사고를 예방하고 피해를 줄이기 위하여 노력하여야 하며, 발생한 피해를 신속히 대응·복구하여 일상으로 회복할 수 있도록 지원하기 위한 계획을 수립·시행하여야 한다.

② 국가와 지방자치단체는 안전에 관한 정보를 적극적으로 공개하여야 하며, 누구든지 이를 편리하게 이용할 수 있도록 하여야 한다.

③ 국가와 지방자치단체는 재난이나 그 밖의 각종 사고를 수습하는 과정에서 피해자의 인권이 침해받지 아니하도록 노력하여야 한다.

④ 제3조제5호나목에 따른 재난관리책임기관의 장은 소관 업무와 관련된 안전관리에 관한 계획을 수립하고 시행하여야 하며, 그 소재지를 관할하는 "시·도"와 시·군·구의 재난 및 안전관리업무에 협조하여야 한다.

(5)국민의 책무

국민은 국가와 지방자치단체가 재난 및 안전관리업무를 수행할 때 최대한 협조하여야 하고, 자기가 소유하거나 사용하는 건물·시설 등으로부터 재난이나 그 밖의 각종 사고가 발생하지 아니하도록 노력하여야 한다.

(6)재난 및 안전관리 업무의 총괄·조정

행정안전부장관은 국가 및 지방자치단체가 행하는 재난 및 안전관리 업무를 총괄·조정한다.

2) 안전관리기구 및 기능

제1절 중앙안전관리위원회 등

(1) 중앙안전관리위원회

① 재난 및 안전관리에 관한 다음 각 호의 사항을 심의하기 위하여 국무총리 소속으로 중앙안전관리위원회(이하 "중앙위원회"라한다)를 둔다.

1. 재난 및 안전관리에 관한 중요 정책에 관한 사항
2. 국가안전관리기본계획에 관한 사항
2의2. 재난 및 안전관리 사업 관련 중기사업계획서, 투자우선순위 의견 및 예산요구서에 관한 사항
3. 중앙행정기관의 장이 수립·시행하는 계획, 점검·검사, 교육·훈련, 평가 등 재난 및 안전관리업무의 조정에 관한 사항
3의2. 안전기준관리에 관한 사항
4. 재난사태의 선포에 관한 사항
5. 특별재난지역의 선포에 관한 사항
6. 재난이나 그 밖의 각종 사고가 발생하거나 발생할 우려가 있는 경우 이를 수습하기 위한 관계 기관 간 협력에 관한 중요 사항
6의2. 재난안전의무보험의 관리·운용 등에 관한 사항
7. 중앙행정기관의 장이 시행하는 대통령령으로 정하는 재난 및 사고의 예방사업 추진에 관한 사항
8. 「재난안전산업 진흥법」 제5조에 따른 기본계획에 관한 사항

9. 그 밖에 위원장이 회의에 부치는 사항

② 중앙위원회의 위원장은 국무총리가 되고, 위원은 대통령령으로 정하는 중앙행정기관 또는 관계 기관·단체의 장이 된다.

중앙안전관리위원회의 위원
1. 기획재정부장관, 교육부장관, 과학기술정보통신부장관, 외교부장관, 통일부장관, 법무부장관, 국방부장관, 행정안전부장관, 문화체육관광부장관, 농림축산식품부장관, 산업통상자원부장관, 보건복지부장관, 환경부장관, 고용노동부장관, 여성가족부장관, 국토교통부장관, 해양수산부 장관 및 중소벤처기업부장관
2. 국가정보원장, 방송통신위원회위원장, 국무조정실장, 식품의약품안전처장, 금융위원회위원장 및 원자력안전위원회위원장
3. 경찰청장, 소방청장, 문화재청장, 산림청장, 기상청장 및 해양경찰청장
4. 그 밖에 중앙위원회의 위원장이 지정하는 기관 및 단체의 장

---

③ 중앙위원회의 위원장은 중앙위원회를 대표하며, 중앙위원회의 업무를 총괄한다.

④ 중앙위원회에 간사 1명을 두며, 간사는 행정안전부장관이 된다.

⑤ 중앙위원회의 위원장이 사고 또는 부득이한 사유로 직무를 수행할 수 없을 때에는 행정안전부장관, 대통령령으로 정하는 중앙행정기관의 장 순으로 위원장의 직무를 대행한다.

위원장 직무 대행순서
기획재정부장관, 교육부장관, 과학기술정보통신부장관, 외교부장관, 통일부장관, 법무부장관, 국방부장관, 행정안전부장관, 문화체육관광부장관, 농림축산식품부장관, 산업통상자원부장관, 보건복지부장관, 환경부장관, 고용노동부장관, 여성가족부장관, 국토교통부장관, 해양수산부장관 및 중소벤처기업부장관

---

⑥ 제5항에 따라 행정안전부장관 등이 중앙위원회 위원장의 직무를 대행할 때에는 행정안전부의 재난안전관리사무를 담당하는 본부장이 중앙위원회 간사의 직무를 대행한다.

⑦ 중앙위원회는 제1항 각 호의 사무가 국가안전보장과 관련된 경우에는 국가안전보장회의와 협의하여야 한다.

⑧ 중앙위원회의 위원장은 그 소관 사무에 관하여 재난관리책임기관의 장이나 관계인에게 자료의 제출, 의견 진술, 그 밖에 필요한 사항에 대하여 협조를 요청할 수 있다. 이 경우 요청을 받은 사람은 특별한 사유가 없으면 요청에 따라야 한다.

⑨ 중앙위원회의 구성과 운영 등에 필요한 사항은 대통령령으로 정한다.

제8조(중앙위원회의 운영)
① 중앙위원회의 회의는 위원의 요청이 있거나 위원장이 필요하다고 인정하는 경우에 위원장이 소집한다.
② 중앙위원회의 회의는 재적위원 과반수의 출석으로 개의(開議)하고, 출석위원 과반수의 찬성으로 의결한다.
③ 위원장은 회의 안건과 관련하여 필요하다고 인정하는 경우에는 관계 공무원과 민간전문가 등을 회의에 참석하게 하거나 관계 기관의 장에게 자료 제출을 요청할 수 있다. 이 경우 요청을 받은 관계 공무원과 관계 기관의 장은 특별한 사유가 없으면 요청에 따라야 한다.
④ 제1항부터 제3항까지에서 규정한 사항 외에 중앙위원회의 운영에 필요한 사항은 중앙위원회 의결을 거쳐 위원장이 정한다.
제12조(중앙위원회 등의 수당 및 임기 등)
① 중앙위원회, 조정위원회, 실무위원회 및 중앙재난방송협의회의 회의에 출석한 위원에게는 예산의 범위에서 수당과 여비, 그 밖의 실비를 지급할 수 있다. 다만, 공무원인 위원이 그 업무와 직접 관련하여 회의에 출석하는 경우에는 그러하지 아니하다.
② 중앙위원회, 조정위원회 및 중앙재난방송협의회의 위원 중 공무원인 위원의 임기는 해당 직위에 재임하는 기간으로 하고, 그 외의 위원의 임기는 2년으로 한다. 다만, 보궐위원의 임기는 전임자 임기의 남은 기간으로 한다.

---

(2) 안전정책조정위원회

① 중앙위원회에 상정될 안건을 사전에 검토하고 다음 각 호의 사무를 수행하기 위하여 중앙위원회에 안전정책조정위원회(이하 "조정위원회"라 한다)를 둔다.

1. 중앙행정기관의 장이 수립·시행하는 계획, 점검·검사, 교육·훈련, 평가 등 재난 및 안전관리업무의 조정에 관한 사항, 안전기준관리에 관한 사항, 재난관련 관계 기관 간 협력에 관한 중요 사항, 중앙행정기관의 장이 시행하는 재난 및 사고의 예방사업 추진에 관한 사항에 대한 사전 조정

2. 집행계획의 심의

3. 국가기반시설의 지정에 관한 사항의 심의

4. 재난 및 안전관리기술 종합계획의 심의

5. 그 밖에 중앙위원회가 위임한 사항

② 조정위원회의 위원장은 행정안전부장관이 되고, 위원은 대통령령으로 정하는 중앙행정기관의 차관 또는 차관급 공무원과 재난 및 안전관리에 관한 지식과 경험이 풍부한 사람 중에서 위원장이 임명하거나 위촉하는 사람이 된다.

안전정책조정위원회 위원

1. 기획재정부차관, 교육부차관, 과학기술정보통신부차관, 외교부차관, 통일부차관, 법무부차관, 국방부차관, 행정안전부의 재난안전관리사무를 담당하는 본부장, 문화체육관광부차관, 농림축산식품부차관, 산업통상자원부차관, 보건복지부차관, 환경부차관, 고용노동부차관, 여성가족부차관, 국토교통부차관, 해양수산부차관 및 중소벤처기업부차관.
이 경우 복수차관이 있는 기관은 재난 및 안전관리 업무를 관장하는 차관으

---

③ 조정위원회에 간사위원 1명을 두며, 간사위원은 행정안전부의 재난안전관리사무를 담당하는 본부장이 된다.

④ 조정위원회의 업무를 효율적으로 처리하기 위하여 조정위원회에 실무위원회를 둘 수 있다.

⑤ 조정위원회의 위원장은 제1항에 따라 조정위원회에서 심의·조정된 사항 중 대통령령으로 정하는 중요 사항에 대해서는 조정위원회의 심의·조정 결과를 중앙위원회의 위원장에게 보고하여야 한다.

조정위원회 심의 결과의 중앙위원회 보고사항

1. 집행계획의 심의
2. 국가기반시설의 지정에 관한 사항의 심의
3. 그 밖에 중앙위원회로부터 위임받아 심의한 사항 중 조정위원회 위원장이 필요하다고 인정하는 사항

⑥ 조정위원회의 위원장은 중앙위원회 또는 조정위원회에서 심의·조정된 사항에 대한 이행상황을 점검하고, 그 결과를 중앙위원회에 보고할 수 있다.

⑦ 조정위원회 및 제4항에 따른 실무위원회의 구성 및 운영 등에 필요한 사항은 대통령령으로 정한다.

안전정책조정위원회의 운영

② 조정위원회의 회의는 위원이 요청하거나 위원장이 필요하다고 인정하는 경우에 위원장이 소집한다.

③ 조정위원회의 회의는 재적위원 과반수의 출석으로 개의하고, 출석위원 과반수의 찬성으로 의결한다.

④ 위원장은 회의 안건과 관련하여 필요하다고 인정하는 경우에는 관계 공무원과 민간전문가 등을 회의에 참석하게 하거나 관계 기관의 장에게 자료 제출을 요청할 수 있다. 이 경우 요청을 받은 관계 공무원과 관계 기관의 장은 특별한 사유가 없으면 요청에 따라야 한다.

⑤ 제1항부터 제4항까지에서 규정한 사항 외에 조정위원회의 구성 및 운영 등에 필요한 사항은 위원장이 정한다.

실무위원회의 구성·운영 등

① 실무위원회(이하 "실무위원회"라 한다)는 위원장 1명을 포함하여 50명 내외의 위원으로 구성한다.

② 실무위원회는 다음 각 호의 사항을 심의한다.

1. 재난 및 안전관리를 위하여 관계 중앙행정기관의 장이 수립하는 대책에 관하여 협의·   조정이 필요한 사항

2. 재난 발생 시 관계 중앙행정기관의 장이 수행하는 재난의 수습에 관하여 협의·조정이   필요한 사항

3. 그 밖에 실무위원회의 위원장(이하 "실무위원장"이라 한다)이 회의에 부치는 사항

③ 실무위원장은 행정안전부의 재난안전관리사무를 담당하는 본부장이 된다.

④ 실무위원회의 위원은 다음 각 호의 어느 하나에 해당하는 사람 중에서 성별을 고려하여   행정안전부장관이 임명하거나 위촉하는 사람으로 한다.

1. 관계 중앙행정기관의 고위공무원단에 속하는 공무원 또는 3급 상당 이상에 해당하는   공무원 중에서 해당 중앙행정기관의 장이 추천하는 공무원

2. 재난 및 안전관리에 관한 지식과 경험이 풍부한 사람

3. 그 밖에 실무위원장이 필요하다고 인정하는 분야의 전문지식과 경력이 충분한 사람

⑤ 실무위원회의 회의(이하 "실무회의"라 한다)는 위원 5명 이상의 요청이 있거나 실무위원장이 필요하다고 인정하는 경우에 실무위원장이 소집한다.

⑥ 실무회의는 실무위원장과 실무위원장이 회의마다 지정하는 25명 내외의 위원

> 으로 구성한다.
> ⑦ 실무회의는 제6항에 따른 구성원 과반수의 출석으로 개의(開議)하고, 출석
> 위원 과반수의 찬성으로 의결한다.
> ⑧ 제1항부터 제7항까지에서 규정한 사항 외에 실무위원회의 구성 및 운영에
> 필요한 사항은 행정안전부장관이 정한다.

(3) 재난 및 안전관리 사업예산의 사전협의

① 관계 중앙행정기관의 장은 중기사업계획서 중 재난 및 안전관리 사업(행정안전부장관이 기획재정부장관과 협의하여 정하는 사업)과 관련된 중기사업계획서와 해당 기관의 재난 및 안전관리 사업에 관한 투자우선순위 의견을 매년 1월 31일까지 행정안전부장관에게 제출하여야 한다.

② 관계 중앙행정기관의 장은 기획재정부장관에게 제출하는 「국가재정법」 제31조제1항에 따른 예산요구서 중 재난 및 안전관리 사업 관련 예산요구서를 매년 5월 31일까지 행정안전부장관에게 제출하여야 한다.

③ 행정안전부장관은 제1항 및 제2항에 따른 중기사업계획서, 투자우선순위 의견 및 예산요구서를 검토하고, 중앙위원회의 심의를 거쳐 다음 각 호의 사항을 매년 6월 30일까지 기획재정부장관에게 통보하여야 한다.
1. 재난 및 안전관리 사업의 투자 방향
2. 관계 중앙행정기관별 재난 및 안전관리 사업의 투자우선순위, 투자적정성, 중점 추진방향 등에 관한 사항

3. 재난 및 안전관리 사업의 유사성·중복성 검토결과

4. 그 밖에 재난 및 안전관리 사업의 투자효율성을 높이기 위하여 필요한 사항

④ 기획재정부장관은 국가재정상황과 재정운용원칙에 부합하지 아니하는 등 부득이한 사유가 있는 경우를 제외하고 제3항에 따라 통보받은 결과를 토대로 재난 및 안전관리 사업에 관한 예산안을 편성하여야 한다.

(4) 재난 및 안전관리 사업 평가

① 행정안전부장관은 매년 재난 및 안전관리 사업의 효과성 및 효율성을 평가하고, 그 결과를 관계 중앙행정기관의 장에게 통보하여야 한다.

② 행정안전부장관은 제1항에 따른 평가를 위하여 중앙행정기관의 장 또는 지방자치단체의 장 등에게 해당 기관에서 추진한 재난 및 안전관리 사업의 집행실적 등에 관한 자료 제출을 요청할 수 있다. 이 경우 자료 제출을 요청받은 중앙행정기관의 장 또는 지방자치단체의 장 등은 특별한 사유가 없으면 이에 따라야 한다.

③ 관계 중앙행정기관의 장은 제1항에 따른 평가 결과를 다음 연도 재난 및 안전관리 사업에 반영하여야 한다.

④ 제1항에 따른 평가의 범위·방법 등에 관하여 필요한 사항은

대통령령으로 정한다.

재난 및 안전관리 사업에 대한 평가

① 관계 중앙행정기관의 장은 법 제10조의3제1항에 따른 재난 및 안전관리 사업의 효과성 및 효율성 평가(이하 "사업평가"라 한다)를 위하여 매년 9월 30일까지 다음 연도 소관 사업의 성과목표 및 성과지표(이하 "성과목표등"이라 한다)를 정하여 행정안전부장관에게 제출하여야 한다.

② 행정안전부장관은 제1항에 따라 제출받은 성과목표등에 대하여 관계 전문가 등으로 구성된 평가자문위원회의 자문과 관계 중앙행정기관의 장의 의견을 들은 후 매년 1월 31일까지 성과목표등을 확정하여야 한다.

③ 행정안전부장관은 전년도의 사업평가를 위한 실시계획(이하 "사업평가 실시계획"이라 한다)을 매년 1월 31일까지 수립하여 관계 중앙행정기관의 장에게 통보하여야 한다.

④ 행정안전부장관은 사업평가 실시계획에 따라 전년도의 재난 및 안전관리 사업에 대하여 평가를 실시하고, 그 결과를 매년 4월 30일까지 중앙행정기관의 장에게 통보하여야 한다.

⑤ 제1항부터 제4항까지에서 규정한 사항 외에 제2항에 따른 평가자문위원회의 구성ㆍ운영 등 사업평가에 필요한 사항은 행정안전부장관이 정하여 고시한다.

---

(5) 지역위원회

① 지역별 재난 및 안전관리에 관한 다음 각 호의 사항을 심의ㆍ조정하기 위하여 특별시장ㆍ광역시장ㆍ특별자치시장ㆍ도지사ㆍ특별자치도지사(이하 "시ㆍ도지사"라 한다) 소속으로 시ㆍ도 안전관리위원회(이하 "시ㆍ도위원회"라 한다)를 두고, 시장(「제주특별자치도 설치 및 국제자유도시 조성을 위한 특별법」 에 따른 행정시장을 포함한다. 이하 같다)ㆍ군수ㆍ구청장(자치구의 구청장을 말한다. 이하 같다) 소속으로 시ㆍ군ㆍ구 안전관리위원회(이하 "시ㆍ군ㆍ구위원회"라 한다)를 둔다.

1. 해당 지역에 대한 재난 및 안전관리정책에 관한 사항
2. 제24조 또는 제25조에 따른 안전관리계획에 관한 사항
3. 해당 지역을 관할하는 재난관리책임기관(중앙행정기관과 상급
   지방자치단체는 제외한다)이 수행하는 재난 및 안전관리업무
   의 추진에 관한 사항
4. 재난이나 그 밖의 각종 사고가 발생하거나 발생할 우려가 있
   는 경우 이를 수습하기 위한 관계 기관 간 협력에 관한 사항
5. 다른 법령이나 조례에 따라 해당 위원회의 권한에 속하는 사항
6. 그 밖에 해당 위원회의 위원장이 회의에 부치는 사항
② 시·도위원회의 위원장은 시·도지사가 되고, 시·군·구위원
회의 위원장은 시장·군수·구청장이 된다.
③ 시·도위원회와 시·군·구위원회(이하 "지역위원회"라 한다)
의 회의에 부칠 의안을 검토하고, 재난 및 안전관리에 관한 관계
기관 간의 협의·조정 등을 위하여 지역위원회에 안전정책실무조
정위원회를 둘 수 있다.
④ 지역위원회 및 제3항에 따른 안전정책실무조정위원회의 구성
과 운영에 필요한 사항은 해당 지방자치단체의 조례로 정한다.

(6) 재난방송협의회

① 재난에 관한 예보·경보·통지나 응급조치 및 재난관리를 위한 재난방송이 원활히 수행될 수 있도록 중앙위원회에 중앙재난방송협의회를 둘 수 있다.

② 지역 차원에서 재난에 대한 예보·경보·통지나 응급조치 및 재난방송이 원활히 수행될 수 있도록 지역위원회에 시·도 또는 시·군·구 재난방송협의회(이하 이 조에서 "지역재난방송협의회"라 한다)를 둘 수 있다.

③ 중앙재난방송협의회의 구성 및 운영에 필요한 사항은 대통령령으로 정하고, 지역재난방송협의회의 구성 및 운영에 필요한 사항은 해당 지방자치단체의 조례로 정한다.

중앙재난방송협의회의 구성과 운영

① 중앙위원회에 두는 중앙재난방송협의회는 위원장 1명과 부위원장 1명을 포함한 25명 이내의 위원으로 구성한다.
② 중앙재난방송협의회는 다음 각 호의 사항을 심의한다.
1. 재난에 관한 예보·경보·통지나 응급조치 및 재난관리를 위한 재난방송 내용의 효율적 전파 방안
2. 재난방송과 관련하여 중앙행정기관, 시·도 및 「방송법」 제2조제3호에 따른 방송사업자 간의 역할분담 및 협력체제 구축에 관한 사항
3. 언론에 공개할 재난 관련 정보의 결정에 관한 사항
4. 재난방송 관련 법령과 제도의 개선 사항
5. 그 밖에 재난방송이 원활히 수행되도록 하기 위하여 필요한 사항으로서 방송통신위원회위원장과 과학기술정보통신부장관이 요청하거나 중앙재난방송협의회 위원

장이 필요하다고 인정하는 사항

③ 중앙재난방송협의회의 위원장은 제4항에 따른 위원 중에서 과학기술정보통신부장관이 지명하는 사람이 되고, 부위원장은 중앙재난방송협의회의 위원 중에서 호선한다.

④ 중앙재난방송협의회의 위원은 다음 각 호의 사람이 된다.

1. 과학기술정보통신부, 행정안전부, 국무조정실, 방송통신위원회 및 기상청의 고위공무원단에 속하는 일반직 공무원 또는 이에 상당하는 공무원 중에서 해당 기관의 장이 지명하는 사람 각 1명

2. 관계 중앙행정기관(제1호의 위원이 소속된 기관은 제외한다)의 고위공무원단에 속하는 일반직 공무원 또는 이에 상당하는 공무원 중에서 재난의 유형에 따라 해당 중앙행정기관의 장의 추천을 받아 과학기술정보통신부장관이 임명하는 사람. 이 경우 과학기술정보통신부장관은 임명 대상에 대하여 방송통신위원회위원장과 미리 협의하여야 한다.

3. 다음 각 목의 어느 하나에 해당하는 사람 중에서 방송통신위원회위원장과 협의하여 과학기술정보통신부장관이 위촉하는 사람

 가. 「방송법 시행령」 제1조의2제1호에 따른 지상파텔레비전방송사업자(지역방송을 하는 방송사업자는 제외)에 소속된 사람으로서 재난방송을 총괄하는 직위에 있는 사람

 나. 「방송법 시행령」 제1조의2제6호에 따른 텔레비전방송채널사용사업자 중 종합편성 또는 보도전문편성을 행하는 방송채널사용사업자에 소속된 사람으로서 재난방송을 총괄하는 직위에 있는 사람

 다. 「고등교육법」에 따른 대학·산업대학·전문대학 및 기술대학에서 재난 또는 방송과 관련된 학문을 교수하는 사람으로서 조교수 이상의 직위에 있는 사람

 라. 재난 또는 방송 관련 연구기관이나 단체 또는 산업 분야에 종사하는 사람으로서 해당 분야의 경력이 5년 이상인 사람

⑥ 위원장은 중앙재난방송협의회를 대표하며, 중앙재난방송협의회의 사무를 총괄한다.

⑦ 중앙재난방송협의회의 위원장이 부득이한 사유로 직무를 수행할 수 없을 때에는 부위원장이 그 직무를 대행한다.

⑧ 중앙재난방송협의회의 회의는 위원장이 필요하다고 인정하거나 위원의 소집요구가 있는 경우에 위원장이 소집하고, 위원장은 그 의장이 된다.

⑨ 중앙재난방송협의회는 구성원 과반수의 출석과 출석위원 과반수의 찬성으

로 의결한다.

⑩ 위원장은 회의 안건과 관련하여 필요하다고 인정하는 경우에는 관계 공무원과 민간전문가 등을 회의에 참석하게 하거나 관계 기관의 장에게 자료 제출을 요청할 수 있다. 이 경우 요청을 받은 관계 공무원과 관계 기관의 장은 특별한 사유가 없으면 요청에 따라야 한다.

⑪ 중앙재난방송협의회의 효율적 운영을 위하여 중앙재난방송협의회에 간사 1명을 두되, 간사는 과학기술정보통신부의 재난방송 업무를 담당하는 공무원 중에서 과학기술정보통신부장관이 지명하는 사람이 된다.

⑫ 과학기술정보통신부장관은 중앙재난방송협의회의 운영에 필요한 행정적·재정적 지원을 할 수 있다.

⑬ 제1항부터 제12항까지에서 규정한 사항 외에 중앙재난방송협의회의 운영에 필요한 사항은 중앙재난방송협의회의 의결을 거쳐 위원장이 정한다.

(7) 안전관리민관협력위원회

① 조정위원회의 위원장은 재난 및 안전관리에 관한 민관 협력관계를 원활히 하기 위하여 중앙안전관리민관협력위원회(이하 "중앙민관협력위원회"라 한다)를 구성·운영할 수 있다.

② 지역위원회의 위원장은 재난 및 안전관리에 관한 지역 차원의 민관 협력관계를 원활히 하기 위하여 시·도 또는 시·군·구 안전관리민관협력위원회(이하 이 조에서 "지역민관협력위원회"라 한다)를 구성·운영할 수 있다.

③ 중앙민관협력위원회의 구성 및 운영에 필요한 사항은 대통령령으로 정하고, 지역민관협력위원회의 구성 및 운영에 필요한 사항은 해당 지방자치단체의 조례로 정한다.

중앙민관협력위원회의 구성·운영

① 중앙안전관리민관협력위원회(이하 "중앙민관협력위원회"라 한다)는 공동위원장 2명을 포함하여 35명 이내의 위원으로 구성한다.
② 중앙민관협력위원회의 공동위원장은 행정안전부의 재난안전관리사무를 담당하는 본부장과 제4항에 따라 위촉된 민간위원 중에서 중앙민관협력위원회의 의결을 거쳐 행정안전부장관이 지명하는 사람이 된다.
③ 중앙민관협력위원회의 공동위원장은 중앙민관협력위원회를 대표하고, 중앙민관협력위원회의 운영 및 사무에 관한 사항을 총괄한다.
④ 중앙민관협력위원회의 위원은 다음 각 호의 사람이 된다.
1. 당연직 위원
가. 행정안전부 안전정책실장
나. 행정안전부 재난관리실장
다. 행정안전부 재난협력실장
2. 민간위원: 다음 각 목의 어느 하나에 해당하는 사람 중에서 성별을 고려하여 행정안전부장관이 위촉하는 사람
 가. 재난 및 안전관리 활동에 적극적으로 참여하고 전국 규모의 회원을 보유하고 있는 협회 등의 민간단체 대표
 나. 재난 및 안전관리 분야 유관기관, 단체·협회 또는 기업 등에 소속된 재난 및 안전관리 전문가
 다. 재난 및 안전관리 분야에 학식과 경험이 풍부한 사람
⑤ 민간위원의 임기는 2년으로 하며, 위원의 사임 등으로 새로 위촉된 위원의 임기는 전임위원 임기의 남은 기간으로 한다.
⑥ 제1항부터 제5항까지에서 규정한 사항 외에 중앙민관협력위원회의 구성·운영에 필요한 세부 사항은 중앙민관협력위원회의 의결을 거쳐 행정안전부장관이 정한다.

중앙민관협력위원회의 회의 등

① 중앙민관협력위원회의 회의는 재적위원 과반수의 출석으로 개의하고, 출석위원 과반수의 찬성으로 의결한다.
② 중앙민관협력위원회의 회의 등에 참석하는 위원 등에게는 예산의 범위에서 수당 등을 지급할 수 있다. 다만, 공무원이 그 소관 업무와 관련하여 참석하는 경우에는 그러하지 아니하다

(8) 중앙민관협력위원회의 기능 등

① 중앙민관협력위원회의 기능은 다음 각 호와 같다.
1. 재난 및 안전관리 민관협력활동에 관한 협의
2. 재난 및 안전관리 민관협력활동사업의 효율적 운영방안의 협의
3. 평상시 재난 및 안전관리 위험요소 및 취약시설의 모니터링·제보
4. 재난 발생 시 제34조에 따른 재난관리자원의 동원, 인명구조·피해복구 활동 참여, 피해주민 지원서비스 제공 등에 관한 협의

② 중앙민관협력위원회의 회의는 다음 각 호의 어느 하나에 해당하는 경우에 공동위원장이 소집할 수 있다.
1. 대규모 재난의 발생으로 민관협력 대응이 필요한 경우
2. 재적위원 4분의 1 이상이 회의 소집을 요청하는 경우
3. 그 밖에 공동위원장이 회의 소집이 필요하다고 인정하는 경우

③ 재난 발생 시 신속한 재난대응 활동 참여 등 중앙민관협력위원회의 기능을 지원하기 위하여 중앙민관협력위원회에 대통령령으로 정하는 바에 따라 재난긴급대응단을 둘 수 있다.

> **재난긴급대응단의 구성 및 임무 등**
>
> ① 재난긴급대응단은 중앙민관협력위원회에 참여하는 유관기관, 단체·협회 또는 기업에서 파견된 인력으로 구성한다.
> ② 재난긴급대응단은 다음 각 호의 임무를 수행한다.
> 1. 재난 발생 시 인명구조 및 피해복구 활동 참여
> 2. 평상시 재난예방을 위한 활동 참여
> 3. 그 밖에 신속한 재난대응을 위하여 필요한 활동
> ③ 재난긴급대응단은 재난현장에서 제2항에 따른 임무의 수행에 관하여 통합지원본부의 장 또는 현장지휘를 하는 긴급구조통제단장의 지휘·통제를 따른다.
> ④ 제1항부터 제3항까지에서 규정한 사항 외에 재난긴급대응단의 구성·운영에 필요한 사항은 행정안전부장관이 정하여 고시한다.

(9) 지역위원회 등에 대한 지원 및 지도

행정안전부장관은 시·도위원회의 운영과 지방자치단체의 재난 및 안전관리업무에 대하여 필요한 지원과 지도를 할 수 있으며, 시·도지사는 관할 구역의 시·군·구위원회의 운영과 시·군·구의 재난 및 안전관리업무에 대하여 필요한 지원과 지도를 할 수 있다.

제2절 중앙재난안전대책본부 등

(1)중앙재난안전대책본부 등

① 대통령령으로 정하는 대규모 재난(이하 "대규모재난"이라 한다)의 대응·복구(이하 "수습"이라 한다) 등에 관한 사항을 총괄·조정하고 필요한 조치를 하기 위하여 행정안전부에 중앙재난안전대책본부(이하 "중앙대책본부")를 둔다.

> **대규모 재난의 범위**
>
> 1. 재난 중 인명 또는 재산의 피해 정도가 매우 크거나 재난의 영향이 사회적·경제적으로 광범위하여 주무부처의 장 또는 지역재난안전대책본부의 본부장의 건의를 받아 중앙재난안전대책본부의 본부장이 인정하는 재난
> 2. 제1호에 따른 재난에 준하는 것으로서 중앙대책본부장이 재난관리를 위하여 중앙재난안전대책본부(이하 "중앙대책본부"라 한다)의 설치가 필요하다고 판단하는 재난

② 중앙대책본부에 본부장과 차장을 둔다.

③ 중앙대책본부의 본부장(이하 "중앙대책본부장"이라 한다)은 행정안전부장관이 되며, 중앙대책본부장은 중앙대책본부의 업무를 총괄하고 필요하다고 인정하면 중앙재난안전대책본부회의를 소집할 수 있다. 다만, 해외재난의 경우에는 외교부장관이, 「원자력시설 등의 방호 및 방사능 방재 대책법」 제2조제1항제8호에 따른 방사능재난의 경우에는 같은 법 제25조에 따른 중앙방사능방재대책본부의 장이 각각 중앙대책본부장의 권한을 행사한다.

④ 제3항에도 불구하고 재난의 효과적인 수습을 위하여 다음 각 호의 어느 하나에 해당하는 경우에는 국무총리가 중앙대책본부장의 권한을 행사할 수 있다. 이 경우 행정안전부장관, 외교부장관(해외재난의 경우에 한정한다) 또는 원자력안전위원회 위원장(방사능 재난의. 경우에 한정한다)이 차장이 된다.

 1. 국무총리가 범정부적 차원의 통합 대응이 필요하다고 인정하는 경우

 2. 행정안전부장관이 국무총리에게 건의하거나 제15조의2제2항에 따른 수습본부장의 요청을 받아 행정안전부장관이 국무총리에게 건의하는 경우

⑤ 제4항에도 불구하고 국무총리가 필요하다고 인정하여 지명하는 중앙행정기관의 장은 행정안전부장관, 외교부장관(해외재난의 경우에 한정한다) 또는 원자력안전위원회 위원장(방사능 재난의 경우에 한정한다)과 공동으로 차장이 된다.

⑥ 중앙대책본부장은 대규모재난이 발생하거나 발생할 우려가 있는 경우에는 대통령령으로 정하는 바에 따라 실무반을 편성하고, 중앙재난안전대책본부상황실을 설치하는 등 해당 대규모재난에 대하여 효율적으로 대응하기 위한 체계를 갖추어야 한다. 이 경우 제18조제1항제1호에 따른 중앙재난안전상황실과 인력, 장비, 시설 등을 통합·운영할 수 있다.

⑦ 제1항에 따른 중앙대책본부, 제3항에 따른 중앙재난안전대책본부회의의 구성과 운영에 필요한 사항은 대통령령으로 정한다.

중앙대책본부의 구성 등

① 중앙대책본부(중앙방사능방재대책본부는 제외)에는 차장·총괄조정관·대변인·통제관·부대변인 및 담당관을 두며, 연구개발·조사 및 홍보 등 전문적 지식의 활용이 필요한 경우에는 중앙대책본부장(국무총리가 중앙대책본부장인 경우에는 차장을 말한다)을 보좌하기 위하여 특별대응단장 또는 특별보좌관(이하 "특별대응단장등"이라 한다)을 둘 수 있다.

② 제1항에 따른 특별대응단장등에는 업무수행에 필요한 최소한의 하부조직을 둘 수 있다.

③ 법 제14조제3항 본문에 따라 행정안전부장관이 중앙대책본부장이 되는 경우에는 다음 각 호의 사람이 차장·특별대응단장등·총괄조정관·대변인·통제관·부대변인 및 담당관이 된다.
1. 차장·총괄조정관·대변인·통제관 및 담당관: 행정안전부 소속 공무원 중에서 행정안전부장관이 지명하는 사람
2. 특별대응단장등: 해당 재난과 관련한 민간전문가 중에서 행정안전부장관이 위촉하는 사람
3. 부대변인: 재난관리주관기관 소속 공무원 중에서 소속 기관의 장이 추천하여 행정안전부장관이 지명하는 사람

④ 제3항에도 불구하고 해외재난의 경우에는 외교부장관이 소속 공무원 중에서 지명하는 사람이 차장·총괄조정관·대변인·통제관·부대변인 및 담당관이 되고, 외교부장관이 해당 재난과 관련한 민간전문가 중에서 위촉하는 사람이 특별대응단장등이 된다.

⑤ 법 제14조제4항에 따라 국무총리가 중앙대책본부장의 권한을 행사하는 경우에는 다음 각 호의 사람이 특별대응단장등·총괄조정관·대변인·통제관·부대변인 및 담당관이 된다.
1. 특별대응단장등: 차장이 해당 재난과 관련한 민간전문가 중에서 추천하여 국무총리가 위촉하는 사람
2. 총괄조정관·통제관 및 담당관: 차장이 소속 중앙행정기관 공무원 중에서 지명하는 사람

3. 대변인: 차장이 소속 중앙행정기관 공무원 중에서 추천하여 국무총리가 지명하는 사람
4. 부대변인: 재난관리주관기관 소속 공무원 중에서 소속 기관의 장이 추천하여 국무총리가 지명하는 사람

⑥ 제5항에도 불구하고 법 제14조제5항에 따라 국무총리가 필요하다고 인정하여 지명하는 중앙행정기관의 장이 공동으로 차장이 되는 경우에는 다음 각 호의 사람이 특별대응단장등·총괄조정관·대변인·통제관·부대변인 및 담당관이 된다.
1. 특별대응단장등: 공동 차장이 각각 해당 재난과 관련한 민간전문가 중에서 추천하여 국무총리가 위촉하는 사람
2. 총괄조정관·통제관 및 담당관: 공동 차장이 각각 소속 중앙행정기관 공무원 중에서 지명하는 사람
3. 대변인 및 부대변인: 공동 차장이 각각 소속 중앙행정기관 공무원 중에서 추천하여 국무총리가 지명하는 사람

⑦ 법 제14조제6항 전단에 따른 실무반은 다음 각 호의 사람으로 편성한다.
1. 행정안전부, 외교부(해외재난의 경우에 한정한다) 또는 원자력안전위원회(「원자력시설 등의 방호 및 방사능 방재 대책법」 제2조제1항제8호에 따른 방사능재난의 경우에 한정한다) 소속 공무원
2. 법 제14조제5항에 따라 국무총리가 중앙행정기관의 장을 공동 차장으로 지명한 경우 해당 중앙행정기관 소속 공무원
3. 법 제15조제1항에 따라 관계 재난관리책임기관에서 파견된 사람

⑧ 제1항부터 제7항까지에서 규정한 사항 외에 중앙대책본부의 구성 및 운영 등에 필요한 사항은 행정안전부령으로 정한다.

중앙재난안전대책본부회의의 구성

① 법 제14조제3항 본문에 따른 중앙재난안전대책본부회의(이하 "중앙대책본부회의"라 한다)는 다음 각 호의 사람 중에서 중앙대책본부장이 임명 또는 위촉하는 사람으로 구성한다.

1. 다음 각 목의 기관의 고위공무원단에 속하는 일반직공무원(국방부의 경우에는 이에 상당하는 장성급(將星級) 장교를, 경찰청 및 해양경찰청의 경우에는 치안감 이상의 경찰공무원을, 소방청의 경우에는 소방감 이상의 소방공무원을 말한다) 중에서 소속 기관의 장의 추천을 받은 사람

가. 기획재정부, 교육부, 과학기술정보통신부, 외교부, 통일부, 법무부, 국방부, 행정안전부, 문화체육관광부, 농림축산식품부, 산업통상자원부, 보건복지부, 환경부, 고용노동부, 여성가족부, 국토교통부, 해양수산부 및 중소벤처기업부

나. 조달청, 경찰청, 소방청, 문화재청, 산림청, 질병관리청, 기상청 및 해양경찰청

다. 그 밖에 중앙대책본부장이 필요하다고 인정하는 행정기관

2. 재난의 대응 및 복구 등에 관한 민간전문가

② 법 제14조제4항에 따라 국무총리가 중앙대책본부장의 권한을 행사하는 경우의 중앙대책본부회의는 다음 각 호의 사람 중에서 국무총리가 임명 또는 위촉하는 사람으로 구성한다.
1. 제1항제1호 각 목의 기관의 장
2. 재난의 대응 및 복구 등에 관한 민간전문가

중앙대책본부회의의 심의·협의 사항

중앙대책본부회의는 재난복구계획에 관한 사항을 심의·확정하는 외에 다음 각 호의 사항을 협의한다.
 1. 재난예방대책에 관한 사항
 2. 재난응급대책에 관한 사항
 3. 국고지원 및 예비비 사용에 관한 사항
 4. 그 밖에 중앙대책본부장이 회의에 부치는 사항

(2) 수습지원단 파견 등

① 중앙대책본부장은 국내 또는 해외에서 발생한 대규모재난의 수습을 지원하기 위하여 관계 중앙행정기관 및 관계 기관·단체의 재난관리에 관한 전문가 등으로 수습지원단을 구성하여 현지에 파견할 수 있다.

② 중앙대책본부장은 구조·구급·수색 등의 활동을 신속하게 지원하기 위하여 행정안전부·소방청 또는 해양경찰청 소속의 전문인력으로 구성된 특수기동구조대를 편성하여 재난현장에 파견할 수 있다.

③ 수습지원단의 구성과 운영 및 특수기동구조대의 편성과 파견 등에 필요한 사항은 대통령령으로 정한다.

수습지원단의 구성 및 임무 등

①수습지원단은 재난 유형별로 관계 재난관리책임기관의 전문가 및 민간 전문가로 구성한다. 다만, 해외재난의 경우에는 따로 수습지원단을 구성하지 아니하고 「119구조·구급에 관한 법률」 제9조에 따른 국제구조대로 갈음할 수 있다.

② 수습지원단의 단장은 수습지원단원 중에서 중앙대책본부장이 지명하는 사람이 되고, 단장은 수습지원단원을 지휘·통솔하며 운영을 총괄한다.

③ 수습지원단은 다음 각 호의 업무를 수행한다.
1. 지역대책본부장 등 재난 발생지역의 책임자에 대하여 사태수습에 필요한 기술자문·권고 또는 조언
2. 중앙대책본부장에 대하여 재난수습을 위한 재난현장 상황, 재난발생의 원

인, 행정적·재정적으로 조치할 사항 및 진행 상황 등에 관한 보고

④ 중앙대책본부장은 신속한 재난상황의 파악, 현장 지도·관리 등을 위하여 수습지원단을 현지에 파견하기 전에 중앙대책본부 소속 직원을 재난현장에 파견할 수 있다.

⑤ 제1항부터 제4항까지에서 규정한 사항 외에 수습지원단의 구성 및 운영에 필요한 사항은 중앙대책본부장이 정한다.

특수기동구조대의 편성 및 파견 등

① 중앙대책본부장은 특수기동구조대의 대원을 소방청 중앙119구조본부 및 해양경찰청 중앙해양특수구조단 소속 공무원 중에서 선발하고, 특수기동구조대 대장을 특수기동구조대의 대원 중에서 지명한다. 이 경우 중앙대책본부장은 재난 유형별로 필요한 전문 인력을 추가할 수 있다.

② 중앙대책본부장은 법 제14조의2제2항에 따라 다음 각 호의 어느 하나에 해당하는 경우 특수기동구조대를 재난 현장에 파견할 수 있다.
1. 각급통제단장 또는 「수상에서의 수색·구조 등에 관한 법률」 제7조에 따른 중앙구조 본부의 장, 광역구조본부의 장, 지역구조본부의 장이 중앙대책본부장에게 요청하는 경우
2. 중앙대책본부장이 구조·구급·수색 등의 활동을 신속하게 지원하기 위하여 필요하다고 인정하는 경우

③ 외교부장관 또는 원자력안전위원회 위원장은 법 제14조제3항 단서에 따라 중앙대책본부장의 권한을 행사하는 경우 제2항에 따라 특수기동구조대를 파견하기 위해서는 행정안전부장관과 협의하여야 한다.

④ 특수기동구조대는 재난현장에서 구조·구급·수색 등의 활동에 관하여 각급통제단장의 지휘·통제를 따른다. 다만, 해양에서 발생하는 재난에 관하여는 「수상에서의 수색·구조 등에 관한 법률」 제7조에 따른 중앙구조본부의 장, 광역구조본부의 장, 지역구조본부의 장의 지휘·통제를 따른다.

⑤ 제1항부터 제4항까지에서 규정한 사항 외에 특수기동구조대의 편성 및 파견에 필요한 사항은 중앙대책본부장이 정한다.

(3) 중앙재난안전대책본부장의 권한

① 중앙대책본부장은 대규모재난을 효율적으로 수습하기 위하여 관계 재난관리책임기관의 장에게 행정 및 재정상의 조치, 소속 직원의 파견, 그 밖에 필요한 지원을 요청할 수 있다. 이 경우 요청을 받은 관계 재난관리책임기관의 장은 특별한 사유가 없으면 요청에 따라야 한다.

② 제1항에 따라 파견된 직원은 대규모재난의 수습에 필요한 소속 기관의 업무를 성실히 수행하여야 하며, 대규모재난의 수습이 끝날 때까지 중앙대책본부에서 상근하여야 한다.

③ 중앙대책본부장은 해당 대규모재난의 수습에 필요한 범위에서 수습본부장 및 지역대책본부장을 지휘할 수 있다

(4) 중앙 및 지역사고수습본부

① 재난관리주관기관의 장은 재난이 발생하거나 발생할 우려가 있는 경우에는 재난상황을 효율적으로 관리하고 재난을 수습하기 위한 중앙사고수습본부를 신속하게 설치·운영하여야 한다.

② 수습본부의 장은 해당 재난관리주관기관의 장이 된다.

③ 수습본부장은 재난정보의 수집·전파, 상황관리, 재난발생 시 초동조치 및 지휘 등을 위한 수습본부상황실을 설치·운영하여야 한다. 이 경우 제18조제3항에 따른 재난안전상황실과 인력, 장비, 시설 등을 통합·운영할 수 있다.

④ 수습본부장은 재난을 수습하기 위하여 필요하면 관계 재난관리책임기관의 장에게 행정상 및 재정상의 조치, 소속 직원의 파견, 그 밖에 필요한 지원을 요청할 수 있다. 이 경우 요청을 받은 관계 재난관리책임기관의 장은 특별한 사유가 없으면 요청에 따라야 한다.

⑤ 수습본부장은 지역사고수습본부를 운영할 수 있으며, 지역사고수습본부의 장(이하 "지역사고수습본부장"이라 한다)은 수습본부장이 지명한다.

⑥ 수습본부장은 해당 재난의 수습에 필요한 범위에서 시·도지사 및 시장·군수·구청장(제16조제1항에 따른 시·도대책본부 및 시·군·구대책본부가 운영되는 경우에는 해당 본부장을 말한다)을 지휘할 수 있다.

⑦ 수습본부장은 재난을 수습하기 위하여 필요하면 대통령령으로 정하는 바에 따라 수습지원단을 구성·운영할 것을 중앙대책본부장에게 요청할 수 있다.

⑧ 수습본부의 구성·운영 등에 필요한 사항은 대통령령으로 정

한다.

> **중앙사고수습본부의 구성·운영**
>
> ① 재난관리주관기관의 장은 중앙사고수습본부를 효율적으로 운영하기 위하여 중앙사고수습본부의 구성과 운영 등에 필요한 사항(이하 "수습본부운영규정"이라 한다)을 미리 정하여야 한다. 이 경우 중앙대책본부장과 협의를 거쳐야 한다.
>
> ② 중앙대책본부장은 수습본부운영규정에 관한 표준안을 작성하여 재난관리주관기관의 장에게 수습본부운영규정에 반영할 것을 권고할 수 있다.

(5) 지역재난안전대책본부 등

① 해당 관할 구역에서 재난의 수습 등에 관한 사항을 총괄·조정하고 필요한 조치를 하기 위하여 시·도지사는 시·도재난안전대책본부(이하 "시·도대책본부"라 한다)를 두고, 시장·군수·구청장은 시·군·구재난안전대책본부(이하 "시·군·구대책본부"라 한다)를 둔다.

② 시·도대책본부 또는 시·군·구대책본부(이하 "지역대책본부"라 한다)의 본부장(이하 "지역대책본부장"이라 한다)은 시·도지사 또는 시장·군수·구청장이 되며, 지역대책본부장은 지역대책본부의 업무를 총괄하고 필요하다고 인정하면 대통령령으로 정하는 바에 따라 지역재난안전대책본부회의를 소집할 수 있다.

③ 시·군·구대책본부의 장은 재난현장의 총괄·조정 및 지원을 위하여 재난현장 통합지원본부(이하 "통합지원본부"라 한다)를

설치·운영할 수 있다. 이 경우 통합지원본부의 장은 긴급구조에 대해서는 제52조에 따른 시·군·구긴급구조통제단장의 현장지휘에 협력하여야 한다.

④ 통합지원본부의 장은 관할 시·군·구의 부단체장이 되며, 실무반을 편성하여 운영할 수 있다.

⑤ 지역대책본부 및 통합지원본부의 구성과 운영에 필요한 사항은 해당 지방자치단체의 조례로 정한다.

(6) 지역대책본부장의 권한 등

① 지역대책본부장은 재난의 수습을 효율적으로 하기 위하여 해당 시·도 또는 시·군·구를 관할 구역으로 하는 재난관리책임기관의 장에게 행정 및 재정상의 조치나 그 밖에 필요한 업무협조를 요청할 수 있다. 이 경우 요청을 받은 재난관리책임기관의 장은 특별한 사유가 없으면 요청에 따라야 한다.

② 지역대책본부장은 재난의 수습을 위하여 필요하다고 인정하면 해당 시·도 또는 시·군·구의 전부 또는 일부를 관할 구역으로 하는 재난관리책임기관의 장에게 소속 직원의 파견을 요청할 수 있다. 이 경우 요청을 받은 재난관리책임기관의 장은 특별한 사유가 없으면 즉시 요청에 따라야 한다.

③ 제2항에 따라 파견된 직원은 지역대책본부장의 지휘에 따라 재난의 수습에 필요한 소속 기관의 업무를 성실히 수행하여야 하며, 재난의 수습이 끝날 때까지 지역대책본부에서 상근하여야 한다.

(7) 재난현장 통합자원봉사지원단의 설치 등

① 지역대책본부장은 재난의 효율적 수습을 위하여 지역대책본부에 통합자원봉사지원단을 설치·운영할 수 있다.

② 통합자원봉사지원단은 다음 각 호의 업무를 수행한다.
1. 자원봉사자의 모집·등록
2. 자원봉사자의 배치 및 운영
3. 자원봉사자에 대한 교육훈련
4. 자원봉사자에 대한 안전조치
5. 자원봉사 관련 정보의 수집 및 제공
6. 그 밖에 자원봉사 활동의 지원에 관한 사항

③ 행정안전부장관은 통합자원봉사지원단의 원활한 운영을 위하여 필요한 경우 지방자치단체에 대하여 행정 및 재정적 지원을 할 수 있다.

④ 행정안전부장관, 시·도지사 및 시장·군수·구청장은 통합자원봉사지원단의 원활한 운영을 위하여 필요한 경우 자원봉사 관련 업무 종사자에 대한 교육훈련을 실시할 수 있다.

⑤ 제1항부터 제4항까지에서 규정한 사항 외에 통합자원봉사지원단의 구성·운영에 관하여 필요한 사항은 해당 지방자치단체의 조례로 정한다.

(8) 대책지원본부

① 행정안전부장관은 수습본부 또는 지역대책본부의 재난상황의 관리와 재난 수습 등을 효율적으로 지원하기 위하여 필요한 경우에는 대책지원본부를 둘 수 있다.

② 대책지원본부의 장(이하 "대책지원본부장"이라 한다)은 행정안전부 소속 공무원 중에서 행정안전부장관이 지명하는 사람이 된다.

③ 대책지원본부장은 재난 수습 등을 효율적으로 지원하기 위하여 필요하면 관계 재난관리책임기관의 장에게 행정상 및 재정상의 조치, 소속 직원의 파견, 그 밖에 필요한 지원을 요청할 수 있다.

④ 대책지원본부의 구성과 운영 등에 필요한 사항은 대통령령으로 정한다.

대책지원본부의 구성 및 운영

① 법 제17조의3제1항에 따른 대책지원본부(이하 "대책지원본부"라 한다)는 행정안전부 소속 공무원, 관계 재난관리책임기관에서 파견된 공무원·직원 및 민간 전문가 등으로 구성한다.
② 대책지원본부의 장은 재난현장 지원 등 재난상황의 관리와 재난 수습을 효율적으로 지원하기 위하여 대책지원본부에 실무반을 설치·운영할 수 있다.
③ 제1항 및 제2항에서 규정한 사항 외에 대책지원본부의 구성 및 운영 등에 필요한 사항은 행정안전부장관이 정한다.

제3절 재난안전상황실 등

(1)재난안전상황실

① 행정안전부장관, 시·도지사 및 시장·군수·구청장은 재난정보의 수집·전파, 상황관리, 재난발생 시 초동조치 및 지휘 등의 업무를 수행하기 위하여 다음 각 호의 구분에 따른 상시 재난안전상황실을 설치·운영하여야 한다.
1. 행정안전부장관 : 중앙재난안전상황실
2. 시·도지사 및 시장·군수·구청장 : 시·도별 및 시·군·구별 재난안전상황실

② 중앙행정기관의 장은 소관 업무분야의 재난상황을 관리하기 위하여 재난안전상황실을 설치·운영하거나 재난상황을 관리할 수 있는 체계를 갖추어야 한다.

③ 재난관리책임기관의 장은 재난에 관한 상황관리를 위하여 재난안전상황실을 설치·운영할 수 있다.

④ 제1항제2호, 제3항 및 제4항에 따른 재난안전상황실은 제1항제1호에 따른 중앙재난안전상황실 및 다른 기관의 재난안전상황실과 유기적인 협조체제를 유지하고, 재난관리정보를 공유하여야 한다.

재난안전상황실의 설치·운영

① 재난안전상황실은 다음 각 호의 요건을 모두 갖추어야 한다
 1. 신속한 재난정보의 수집·전파와 재난대비 자원의 관리·지원을 위한 재난방송 및 정보통신체계
 2. 재난상황의 효율적 관리를 위한 각종 장비의 운영·관리체계
 3. 재난안전상황실 운영을 위한 전담인력과 운영규정
 4. 그 밖에 행정안전부장관이 정하여 고시하는 사항

② 행정안전부장관, 특별시장·광역시장·특별자치시장·도지사·특별자치도지사(이하 "시·도지사"라 한다), 시장·군수·구청장(자치구의 구청장을 말한다. 이하 같다) 및 소방서장은 재난으로 인하여 재난안전상황실이 그 기능의 전부 또는 일부를 수행할 수 없는 경우를 대비하여 대체상황실을 운영할 수 있다.

(2) 재난 신고 등

① 누구든지 재난의 발생이나 재난이 발생할 징후를 발견하였을 때에는 즉시 그 사실을 시장·군수·구청장·긴급구조기관, 그 밖의 관계 행정기관에 신고하여야 한다.

② 신고를 받은 시장·군수·구청장과 그 밖의 관계 행정기관의 장은 관할 긴급구조기관의 장에게, 긴급구조기관의 장은 그 소재지 관할 시장·군수·구청장 및 재난관리주관기관의 장에게 통보하여 응급대처방안을 마련할 수 있도록 조치하여야 한다.

(3)재난상황의 보고

① 시장·군수·구청장, 소방서장, 해양경찰서장, 재난관리책임기관의 장 또는 국가기반시설의 장은 그 관할구역, 소관 업무 또는 시설에서 재난이 발생하거나 발생할 우려가 있으면 대통령령으로 정하는 바에 따라 재난상황에 대해서는 즉시, 응급조치 및 수습현황에 대해서는 지체 없이 각각 행정안전부장관, 관계 재난관리주관기관의 장 및 시·도지사에게 보고하거나 통보하여야 한다. 이 경우 관계 재난관리주관기관의 장 및 시·도지사는 보고받은 사항을 확인·종합하여 행정안전부장관에게 통보하여야 한다.

② 시장·군수·구청장, 소방서장, 해양경찰서장, 재난관리책임기관의 장 또는 국가기반시설의 장은 재난이 발생한 경우 또는 재난 발생을 신고받거나 통보받은 경우에는 즉시 관계 재난관리책임기관의 장에게 통보하여야 한다.

재난상황의 보고

① 재난상황의 보고 및 통보에는 다음 각 호의 사항이 포함되어야 한다.
 1. 재난 발생의 일시·장소와 재난의 원인
 2. 재난으로 인한 피해내용
 3. 응급조치 사항
 4. 대응 및 복구활동 사항
 5. 향후 조치계획
 6. 그 밖에 해당 재난을 수습할 책임이 있는 중앙행정기관의 장이 정하는 사항

② 법 제20조제1항에 따라 시장·군수·구청장, 소방서장, 해양경찰서장, 재난관리책임기관의 장 또는 국가기반시설의 장이 보고하여야 하는 재난의 구체적인 종류, 규모 및 보고

방법 등은 행정안전부령으로 정한다.

재난상황의 보고 등

① 시장·군수·구청장, 소방서장, 해양경찰서장, 재난관리책임기관의 장 또는 국가기반시설의 장(이하 "재난상황의 보고자"라 한다)은 다음 각 호의 구분에 따라 재난상황을 보고하여야 한다.

 1. 최초 보고: 인명피해 등 주요 재난 발생 시 지체 없이 서면(전자문서를 포함한다), 팩스, 전화 중 가장 **빠른** 방법으로 하는 보고
 2. 중간 보고: 별지 제1호서식(법 제3조제1항가목에 따른 재난의 경우에는 별지 제2호서식)에 따라 전산시스템 등을 활용하여 재난 수습기간 중에 수시로 하는 보고
 3. 최종 보고: 재난 수습이 끝나거나 재난이 소멸된 후 영 제24조제1항에 따른 사항을 종합하여 하는 보고

② 재난상황의 보고자는 응급조치 내용을 별지 제3호서식의 응급복구조치 상황 및 별지 제4호서식의 응급구호조치 상황으로 구분하여 재난기간 중 1일 2회 이상 보고하여야 한다.

재난상황의 보고 대상

재난상황의 보고자가 보고하여야 하는 재난의 종류와 규모는 다음 각 호와 같다.

 1. 「산림보호법」 제36조에 따라 신고 및 보고된 산불
 2. 법 제26조에 따라 지정된 국가기반시설에서 발생한 화재·붕괴·폭발
 3. 공공기관, 지방공사 및 지방공단, 유치원, 「초·중등교육법」 제2조에 따른 학교 또는 「고등교육법」 제2조에 따른 학교에서 발생한 화재, 붕괴, 폭발
 4. 접경지역에 있는 하천의 급격한 수량 증가나 제방의 붕괴 등을 일으켜 인명 또는 재산에 피해를 줄 수 있는 댐의 방류
 5. 「감염병의 예방 및 관리에 관한 법률」 제2조제2호에 따른 제1군감염병 및 같은 조 제5호에 따른 제4군감염병의 발생
 6. 단일 사고로서 사망 3명 이상(화재 또는 교통사고의 경우에는 5명 이상을 말한다) 또는 부상 20명 이상의 재난
 7. 「가축전염병 예방법」 제11조제1항 각 호에 해당하는 가축의 발견
 8. 지정문화재의 화재 등 관련 사고
 9. 「수도법」 제7조에 따른 상수원보호구역의 수질오염 사고
 10. 수질오염 사고
 11. 유선·도선의 충돌, 좌초, 그 밖의 사고
 12. 「화학물질관리법」 제43조제2항에 따른 화학사고
 13. 지진재해의 발생

14. 그 밖에 행정안전부장관이 정하여 고시하는 재난

③ 시·도지사는 법 제20조제1항에 따라 보고받은 사항이 다음 각 호의 어느 하나에 해당되는 경우에는 이를 종합하여 행정안전부장관 및 재난관리주관기관의 장에게 통보하여야 한다.
 1. 재난이 2개 이상의 시·군·구에 걸쳐 발생한 경우
 2. 그 밖에 재난의 신속한 수습을 위하여 중앙대책본부장 또는 재난관리주관기관의 장의 지휘·통제나 다른 시·도의 협력이 필요하다고 인정되는 재난

④ 재난관리책임기관 중 시·도의 전부 또는 일부를 관할구역으로 하는 재난관리책임기관의 장은 해당 지역에서 소관 업무에 관계되는 재난이 발생하였을 때에는 즉시 그 사실을 재난이 발생한 지역의 관할 시·도지사 및 시장·군수·구청장에게 통보하여야 한다.

(4) 해외재난상황의 보고 및 관리

① 재외공관의 장은 관할 구역에서 해외재난이 발생하거나 발생할 우려가 있으면 즉시 그 상황을 외교부장관에게 보고하여야 한다.

② 제1항의 보고를 받은 외교부장관은 지체 없이 해외재난 발생 또는 발생 우려 지역에 거주하거나 체류하는 대한민국 국민(이하 이 조에서 "해외재난국민"이라 한다)의 생사확인 등 안전 여부를 확인하고, 행정안전부장관 및 관계 중앙행정기관의 장과 협의하여 해외재난국민의 보호를 위한 방안을 마련하여 시행하여야 한다.

③ 해외재난국민의 가족 등은 외교부장관에게 해외재난국민의 생사확인 등 안전 여부 확인을 요청할 수 있다. 이 경우 외교부장관은 특별한 사유가 없으면 그 요청에 따라야 한다.

④ 제2항 및 제3항에 따른 안전 여부 확인과 가족 등의 범위는 대통령령으로 정한다.

> **안전 여부 확인을 요청할 수 있는 가족의 범위(「민법」 제779조)**
>
> 1. 배우자, 직계혈족 및 형제자매
> 2. 직계혈족의 배우자, 배우자의 직계혈족 및 배우자의 형제자매
>   (2호는 생계를 같이 하는 경우에 한한다.)

3) 안전관리계획

(1)국가안전관리기본계획의 수립 등

① 국무총리는 대통령령으로 정하는 바에 따라 국가의 재난 및 안전관리업무에 관한 기본계획(이하 "국가안전관리기본계획"이라 한다)의 수립지침을 작성하여 관계 중앙행정기관의 장에게 통보하여야 한다.

국가안전관리기본계획 수립

① 국무총리는 법 제22조제4항에 따른 국가안전관리기본계획(이하 "국가안전관리기본계획"이라 한다)을 5년마다 수립하여야 한다.
② 관계 중앙행정기관의 장은 국가안전관리기본계획을 이행하기 위하여 필요한 예산을 반영하는 등의 조치를 하여야 한다.

---

② 제1항에 따른 수립지침에는 부처별로 중점적으로 추진할 안전관리기본계획의 수립에 관한 사항과 국가재난관리체계의 기본방향이 포함되어야 한다.

③ 관계 중앙행정기관의 장은 제1항에 따른 수립지침에 따라 그 소관에 속하는 재난 및 안전관리업무에 관한 기본계획을 작성한 후 국무총리에게 제출하여야 한다.

④ 국무총리는 제3항에 따라 관계 중앙행정기관의 장이 제출한 기본계획을 종합하여 국가안전관리기본계획을 작성하여 중앙위원회의 심의를 거쳐 확정한 후 이를 관계 중앙행정기관의 장에게

통보하여야 한다.

⑤ 중앙행정기관의 장은 제4항에 따라 확정된 국가안전관리기본
계획 중 그 소관 사항을 관계 재난관리책임기관(중앙행정기관과
지방자치단체는 제외한다)의 장에게 통보하여야 한다.

⑥ 국가안전관리기본계획을 변경하는 경우에는 제1항부터 제5항
까지를 준용한다.

⑦ 국가안전관리기본계획과 제23조의 집행계획, 제24조의 시·도
안전관리계획 및 제25조의 시·군·구안전관리계획은 「민방위기
본법」에 따른 민방위계획 중 재난관리분야의 계획으로 본다.

⑧ 국가안전관리기본계획에는 다음 각 호의 사항이 포함되어야
한다.
1. 재난에 관한 대책
2. 생활안전, 교통안전, 산업안전, 시설안전, 범죄안전, 식품안전,
안전취약계층 안전 및 그 밖에 이에 준하는 안전관리에 관한 대책

(2)집행계획

① 관계 중앙행정기관의 장은 통보받은 국가안전관리기본계획에 따라 그 소관 업무에 관한 집행계획을 작성하여 조정위원회의 심의를 거쳐 국무총리의 승인을 받아 확정한다.

② 관계 중앙행정기관의 장은 확정된 집행계획을 행정안전부장관, 시·도지사 및 재난관리책임기관의 장에게 각각 통보하여야 한다.

③ 재난관리책임기관의 장은 제2항에 따라 통보받은 집행계획에 따라 세부집행계획을 작성하여 관할 시·도지사와 협의한 후 소속 중앙행정기관의 장의 승인을 받아 이를 확정하여야 한다. 이 경우 그 재난관리책임기관의 장이 공공기관이나 공공단체의 장인 경우에는 그 내용을 지부 등 지방조직에 통보하여야 한다.

집행계획의 작성 및 제출 등

① 관계 중앙행정기관의 장은 매년 10월 31일까지 다음 연도의 집행계획을 작성하여 행정안전부장관에게 통보하여야 한다.
② 행정안전부장관은 집행계획을 효율적으로 수립하기 위하여 필요한 경우에는 집행계획의 작성지침을 마련하여 관계 중앙행정기관의 장에게 통보할 수 있다.
③ 관계 중앙행정기관의 장은 집행계획을 작성하는 경우에 필요하면 제28조에 따라 세부집행계획을 작성하여야 하는 재난관리책임기관의 장에게 집행계획의 작성에 필요한 자료의 제출을 요청할 수 있다.
④ 중앙행정기관의 장은 확정된 집행계획에 변경 사항이 있을 때에는 그 변경 사항을 행정안전부장관과 협의한 후 국무총리에게 보고하여야 한다. 다만, 다음 각 호의 어느 하나에 해당하는 경미한 사항은 보고를 생략할 수 있

다.
1. 집행계획 중 재난 및 안전관리에 소요되는 비용 등의 단순 증감에 관한 사항
2. 다른 관계 중앙행정기관의 재난 및 안전관리에 영향을 미치지 않는 사항
3. 그 밖에 행정안전부장관이 집행계획의 기본방향에 영향을 미치지 않는 것으로 인정하는 사항

세부집행계획의 작성대상자 등
① 재난관리책임기관의 장은 재난관리책임기관의 본사에 해당하는 기관의 장으로 한다.
② 관계 중앙행정기관의 장은 세부집행계획을 효율적으로 수립하기 위하여 필요한 경우에는 세부집행계획의 작성지침을 마련하여 관계 재난관리책임기관의 장에게 통보할 수 있다.

(3) 국가안전관리기본계획 등과의 연계

관계 중앙행정기관의 장은 소관 개별 법령에 따른 재난 및 안전과 관련된 계획을 수립하는 때에는 국가안전관리기본계획 및 집행계획과 연계하여 작성하여야 한다.

(4) 시·도안전관리계획의 수립

① 행정안전부장관은 국가안전관리기본계획과 집행계획에 따라 시·도의 재난 및 안전관리업무에 관한 계획(이하 "시·도안전관리계획"이라 한다)의 수립지침을 작성하여 이를 시·도지사에게 통보하여야 한다.

② 시·도의 전부 또는 일부를 관할 구역으로 하는 재난관리책임

기관의 장은 그 소관 재난 및 안전관리업무에 관한 계획을 작성하여 관할 시·도지사에게 제출하여야 한다.

③ 시·도지사는 제1항에 따라 통보받은 수립지침과 제2항에 따라 제출받은 재난 및 안전관리업무에 관한 계획을 종합하여 시·도안전관리계획을 작성하고 시·도위원회의 심의를 거쳐 확정한다.

④ 시·도지사는 제3항에 따라 확정된 시·도안전관리계획을 행정안전부장관에게 보고하고, 제2항에 따른 재난관리책임기관의 장에게 통보하여야 한다.

(5) 시·군·구안전관리계획의 수립

① 시·도지사는 확정된 시·도안전관리계획에 따라 시·군·구의 재난 및 안전관리업무에 관한 계획(이하 "시·군·구안전관리계획"이라 한다)의 수립지침을 작성하여 시장·군수·구청장에게 통보하여야 한다.

② 시·군·구의 전부 또는 일부를 관할 구역으로 하는 재난관리책임기관의 장은 그 소관 재난 및 안전관리업무에 관한 계획을 작성하여 시장·군수·구청장에게 제출하여야 한다.

③ 시장·군수·구청장은 제1항에 따라 통보받은 수립지침과 제2항에 따라 제출받은 재난 및 안전관리업무에 관한 계획을 종합

하여 시·군·구안전관리계획을 작성하고 시·군·구위원회의 심의를 거쳐 확정한다.

④ 시장·군수·구청장은 제3항에 따라 확정된 시·군·구안전관리계획을 시·도지사에게 보고하고, 제2항에 따른 재난관리책임기관의 장에게 통보하여야 한다.

시·도안전관리계획 및 시·군·구안전관리계획의 작성

① 시·도지사 및 시장·군수·구청장은 소관 안전관리계획에 대하여 실무위원회의 사전검토 및 심의를 거칠 수 있다.
② 시·도지사는 전년도 12월 31일까지, 시장·군수·구청장은 해당 연도 2월 말일까지 소관 안전관리계획을 확정하여야 한다.
③ 재난관리책임기관의 장이 작성하는 그 소관 안전관리업무에 관한 계획에는 다음 각 호의 사항이 포함되어야 한다.
 1. 소관 재난 및 안전관리에 관한 기본방향
 2. 재난별 대응 시 관계 기관 간의 상호 협력 및 조치에 관한 사항
 3. 소관 재난 및 안전관리를 위한 사업계획에 관한 사항
 4. 그 밖에 재난 및 안전관리에 필요한 사항

---

4) 재난의 예방

(1) 재난관리책임기관의 장의 재난예방조치 등

① 재난관리책임기관의 장은 소관 관리대상 업무의 분야에서 재난 발생을 사전에 방지하기 위하여 다음 각 호의 조치를 하여야 한다.
1. 재난에 대응할 조직의 구성 및 정비
2. 재난의 예측 및 예측정보 등의 제공·이용에 관한 체계의 구축
3. 재난 발생에 대비한 교육·훈련과 재난관리예방에 관한 홍보
4. 재난이 발생할 위험이 높은 분야에 대한 안전관리체계의 구축 및 안전관리규정의 제정
5. 제26조에 따라 지정된 국가핵심기반의 관리
6. 제27조제2항에 따른 특정관리대상지역에 관한 조치
7. 제29조에 따른 재난방지시설의 점검·관리
7의2. 제34조에 따른 재난관리자원의 관리
8. 그 밖에 재난을 예방하기 위하여 필요하다고 인정되는 사항

② 재난관리책임기관의 장은 제1항에 따른 재난예방조치를 효율적으로 시행하기 위하여 필요한 사업비를 확보하여야 한다.

③ 재난관리책임기관의 장은 다른 재난관리책임기관의 장에게 재난을 예방하기 위하여 필요한 협조를 요청할 수 있다. 이 경우 요청을 받은 다른 재난관리책임기관의 장은 특별한 사유가 없으면 요청에 따라야 한다.

④ 재난관리책임기관의 장은 재난관리의 실효성을 확보할 수 있
도록 제1항제4호에 따른 안전관리체계 및 안전관리규정을 정비
·보완하여야 한다.

⑤ 재난관리책임기관의 장 및 국회·법원·헌법재판소·중앙선거
관리위원회의 행정사무를 처리하는 기관의 장은 재난상황에서 해
당 기관의 핵심기능을 유지하는 데 필요한 계획(이하 "기능연속
성계획"이라 한다)을 수립·시행하여야 한다.

⑥ 행정안전부장관이 재난상황에서 해당 기관·단체의 핵심 기능
을 유지하는 것이 특별히 필요하다고 인정하여 고시하는 기관·
단체(민간단체를 포함한다) 및 민간업체는 기능연속성계획을 수
립·시행하여야 한다. 이 경우 민간단체 및 민간업체에 대해서는
해당 단체 및 업체와 협의를 거쳐야 한다.

⑦ 행정안전부장관은 재난관리책임기관과 제6항에 따른 기관·
단체 및 민간업체의 기능연속성계획 이행실태를 정기적으로 점검
하고, 재난관리책임기관에 대해서는 그 결과를 제33조의2에 따
른 재난관리체계 등에 대한 평가에 반영할 수 있다.

⑧ 기능연속성계획에 포함되어야 할 사항 및 계획수립의 절차 등
은 국회규칙, 대법원규칙, 헌법재판소규칙, 중앙선거관리위원회규
칙 및 대통령령으로 정한다.

재난 사전 방지조치

① 행정안전부장관은 재난 발생을 사전에 방지하기 위하여 다음 각 호의 사항이 포함된 재난발생 징후 정보(이하 "재난징후정보"라 한다)를 수집·분석하여 관계 재난관리책임기관의 장에게 미리 필요한 조치를 하도록 요청할 수 있다.
 1. 재난 발생 징후가 포착된 위치
 2. 위험요인 발생 원인 및 상황
 3. 위험요인 제거 및 조치 사항
 4. 그 밖에 재난 발생의 사전 방지를 위하여 필요한 사항

② 행정안전부장관은 재난징후정보의 효율적 조사·분석 및 관리를 위하여 재난징후정보관리시스템을 운영할 수 있다.

기능연속성계획의 수립 등

① 행정안전부장관은 법 제25조의2제5항에 따른 계획(이하 "기능연속성계획"이라 한다)의 수립에 관한 지침을 작성하여 다음 각 호의 기관·단체 등(이하 "기능연속성계획수립기관"이라 한다)의 장에게 통보해야 한다.
1. 재난관리책임기관
2. 법 제25조의2제6항에 따라 행정안전부장관이 고시하는 기관·단체(민간단체를 포함한다. 이하 이 조에서 같다) 및 민간업체

② 제1항에 따른 지침을 통보받은 관계 중앙행정기관의 장 및 시·도지사는 소관 업무 또는 관할 지역의 특수성을 반영한 지침을 작성하여 관계 재난관리책임기관의 장 및 관할 지역의 재난관리책임기관의 장에게 각각 통보할 수 있다.

③ 기능연속성계획에는 다음 각 호의 사항이 포함되어야 한다.
1. 기능연속성계획수립기관의 핵심기능의 선정과 우선순위에 관한 사항
2. 재난상황에서 핵심기능을 유지하기 위한 의사결정권자 지정 및 그 권한의 대행에 관한 사항
3. 핵심기능의 유지를 위한 대체시설, 장비 등의 확보에 관한 사항
4. 재난상황에서의 소속 직원의 활동계획 등 기능연속성계획의 구체적인 시행절차에 관한 사항

5. 소속 직원 등에 대한 기능연속성계획의 교육·훈련에 관한 사항
6. 그 밖에 기능연속성계획수립기관의 장이 재난상황에서 해당 기관의 핵심기능을 유지하는 데 필요하다고 인정하는 사항

④ 기능연속성계획수립기관의 장은 기능연속성계획을 수립하거나 변경한 경우에는 수립 또는 변경 후 1개월 이내에 행정안전부장관에게 통보해야 한다. 이 경우 시장·군수·구청장은 시·도지사를 거쳐 통보하고, 별표 1의2에 따른 재난관리책임기관의 장은 관계 중앙행정기관의 장이나 시·도지사를 거쳐 통보한다.

⑤ 행정안전부장관은 법 제25조의2제7항에 따라 기능연속성계획의 이행실태를 점검(이하 이 조에서 "이행실태점검"이라 한다)하는 경우에는 기능연속성계획수립기관의 장에게 미리 이행실태점검 계획을 통보해야 한다.

⑥ 행정안전부장관은 이행실태점검을 하는 경우에는 다음 각 호의 구분에 따라 해당 호에서 정하는 행정기관과 합동으로 점검을 할 수 있다.

1. 별표 1의2에 따른 재난관리책임기관과 법 제25조의2제6항에 따라 행정안전부장관이 고시하는 기관·단체 및 민간업체: 관계 중앙행정기관의 장 또는 소관 지방자치단체의 장
2. 시·군·구: 시·도지사

⑦ 행정안전부장관은 이행실태점검 결과에 따라 기능연속성계획수립기관의 장에게 시정이나 보완 등을 요청할 수 있으며, 재난관리책임기관에 대해서는 시정이나 보완 등을 요청한 사항이 적정하게 반영되었는지를 법 제33조의2에 따른 재난관리체계 등에 대한 평가에 반영할 수 있다.

⑧ 제1항부터 제7항까지에서 규정한 사항 외에 기능연속성계획의 수립 및 이행실태점검에 필요한 사항은 행정안전부장관이 정한다.

(2) 국가기반시설의 지정 및 관리 등

① 관계 중앙행정기관의 장은 소관 분야의 기반시설 중 국가기반체계를 보호하기 위하여 계속적으로 관리할 필요가 있다고 인정되는 시설(이하 "국가기반시설"이라 한다)을 다음 각 호의 기준에 따라 조정위원회의 심의를 거쳐 지정할 수 있다.
1. 다른 기반시설이나 체계 등에 미치는 연쇄효과
2. 둘 이상의 중앙행정기관의 공동대응 필요성
3. 재난이 발생하는 경우 국가안전보장과 경제·사회에 미치는 피해 규모 및 범위
4. 재난의 발생 가능성 또는 그 복구의 용이성

② 관계 중앙행정기관의 장은 제1항에 따른 지정 여부를 결정하기 위하여 필요한 자료의 제출을 소관 재난관리책임기관의 장에게 요청할 수 있다.

③ 관계 중앙행정기관의 장은 소관 재난관리책임기관이 해당 업무를 폐지·정지 또는 변경하는 경우에는 조정위원회의 심의를 거쳐 국가기반시설의 지정을 취소할 수 있다.

④ 국가기반시설의 지정 및 지정취소 등에 필요한 사항은 대통령령으로 정한다.

국가기반시설의 지정 등

① 관계 중앙행정기관의 장은 소관 재난관리책임기관의 장이나 해당 시설 관리자의 의견을 들어 법 제26조제1항 각 호와 별표 2의 기준에 적합하게 국가핵심기반을 지정하여야 한다.

② 관계 중앙행정기관의 장은 제1항에 따라 국가핵심기반을 지정하려는 경우에는 미리 행정안전부장관과 협의를 거쳐 조정위원회에 심의를 요청하여야 한다.

③ 관계 중앙행정기관의 장이 법 제26조제3항에 따라 국가핵심기반의 지정을 취소하는 경우에 제2항을 준용한다.

④ 관계 중앙행정기관의 장은 법 제26조제1항 및 제3항에 따라 국가핵심기반을 지정하거나 취소하는 경우에는 다음 각 호의 사항을 관보에 공고하여야 한다. 다만, 관계 중앙행정기관의 장이 국가의 안전보장을 위하여 필요하다고 인정하는 경우에는 공고를 생략할 수 있다.
1. 국가핵심기반의 명칭
2. 국가핵심기반의 관리 기관 또는 업체 및 그 장의 명칭
3. 국가핵심기반의 지정 또는 취소 사유

⑤ 행정안전부장관은 국가핵심기반으로 지정하여 관리할 필요가 있다고 인정되는 시설, 정보기술시스템 및 자산 등을 관계 중앙행정기관의 장에게 국가핵심기반으로 지정하도록 권고할 수 있다.

⑥ 제1항부터 제5항까지에서 규정한 사항 외에 국가핵심기반의 지정 등에 필요한 세부사항은 행정안전부장관이 정한다.

⑤ 제1항부터 제4항까지에서 규정한 사항 외에 국가기반시설의 지정 등에 필요한 세부사항은 행정안전부장관이 정한다.

분야별 국가핵심기반의 지정기준(제30조제1항 관련)

분야별	지 정 기 준
에너지	전력·석유·가스 공급에 필요한 생산·공급시설과 비축시설
정보통신	교환기 등 주요 통신장비가 집중된 시설 및 정보통신 서비스의 전국 상황 감시시설 국가행정을 운영·관리하는 데에 필요한 기간망과 주요 전산시스템 「전기통신기본법」 제7조에 따른 부가통신사업자의 업무수행에 필요한 전산시스템으로서 과학기술정보통신부장관이 특별히 관리할 필요가 있다고 인정하는 주요 전산시스템
교통수송	인력 수송과 물류 기능을 담당하는 체계와 실제 운용하는 데에 필요한 교통·운송시설 및 이를 통제하는 시설
금융	은행 및 투자매매업·투자중개업을 운영하는 데에 필요한 시설이나 체계
보건의료	응급의료서비스를 제공하는 시설과 이를 지원하는 혈액관리 업무를 담당하는 시설
원자력	원자력시설의 안정적 운영에 필요한 주제어장치(主制御裝置)가 집중된 시설과 방사성폐기물을 영구 처분하기 위한 시설
환경	「폐기물관리법」에 따른 생활폐기물 처리를 위한 수집부터 소각·매립까지의 계통상의 시설
정부중요시설	중앙행정기관이 입주하고 있는 주요 시설
식용수	식용수 공급을 위한 담수(湛水)부터 정수(淨水)까지 계통상의 시설
문화재	「문화재보호법」 제2조제3항제1호에 따른 국가지정문화재로서 문화재청장이 특별히 관리할 필요가 있다고 인정하는 문화재
공동구	「국토의 계획 및 이용에 관한 법률」 제2조제9호에 따른 공동구로서 행정안전부장관 또는 국토교통부장관이 특별히 관리할 필요가 있다고 인정하는 공동구

⑤ 관계 중앙행정기관의 장은 국가기반시설을 지정한 경우에는 대통령령으로 정하는 바에 따라 소관 분야 국가기반체계 보호계획을 수립하여 해당 국가기반시설을 관리하는 기관·단체 등의 장(이하 이 조에서 "관리기관의 장"이라 한다)에게 통보하여야 한다.

⑥ 관리기관의 장은 제1항에 따라 통보받은 국가기반체계 보호계획에 따라 소관 국가기반시설에 대한 보호계획을 수립·시행하여야 한다.

⑦ 행정안전부장관 또는 관계 중앙행정기관의 장은 대통령령으로 정하는 바에 따라 국가기반시설의 보호 및 관리 실태를 확인·점검할 수 있다.

⑧ 행정안전부장관은 국가기반시설에 대한 데이터베이스를 구축·운영하고, 관계 중앙행정기관의 장이 재난관리정책의 수립 등에 이용할 수 있도록 통합지원할 수 있다.

국가기반시설의 관리 등

① 행정안전부장관은 국가기반체계 보호계획의 수립을 위한 지침을 작성하여 관계 중앙행정기관의 장에게 통보하여야 한다.
② 행정안전부장관 또는 관계 중앙행정기관의 장은 국가기반시설의 보호 및 관리 실태를 확인·점검(이하 이 조에서 "관리실태점검"이라 한다)하는 경우에는 국가기반시설을 관리하는 기관·단체 등의 장(이하 이 조에서 "관리기관의 장"이라 한다)에게 미리 관리실태점검 계획을 통보하여야 한다. 다만, 긴급한 사유가 있는 경우에는 관리실태점검 계획의 통보를 생략할 수 있다.
③ 관계 중앙행정기관의 장은 관리실태점검을 실시한 경우에는 그 결과를 행정안전부장관에게 통보하여야 한다.
④ 행정안전부장관 또는 관계 중앙행정기관의 장은 관리실태점검 결과 시정 등이 필요한 사항에 대하여 해당 관리기관의 장에게 시정 등을 권고할 수 있다.

(3)특정관리대상시설등의 지정 및 관리 등

① 중앙행정기관의 장 또는 지방자치단체의 장은 재난이 발생할 위험이 높거나 재난예방을 위하여 계속적으로 관리할 필요가 있다고 인정되는 지역을 대통령령으로 정하는 바에 따라 특정관리대상지역으로 지정할 수 있다.

② 재난관리책임기관의 장은 제1항에 따라 지정된 특정관리대상지역에 대하여 대통령령으로 정하는 바에 따라 재난 발생의 위험성을 제거하기 위한 조치 등 특정관리대상지역의 관리·정비에 필요한 조치를 하여야 한다.

③ 중앙행정기관의 장, 지방자치단체의 장 및 재난관리책임기관의 장은 제1항 및 제2항에 따른 지정 및 조치 결과를 대통령령으로 정하는 바에 따라 행정안전부장관에게 보고하거나 통보하여야 한다.

④ 행정안전부장관은 제3항에 따라 보고받거나 통보받은 사항을 대통령령으로 정하는 바에 따라 정기적으로 또는 수시로 국무총리에게 보고하여야 한다.

⑤ 국무총리는 제4항에 따라 보고받은 사항 중 재난을 예방하기 위하여 필요하다고 인정하는 사항에 대해서는 중앙행정기관의 장, 지방자치단체의 장 또는 재난관리책임기관의 장에게 시정조치나 보완을 요구할 수 있다.

⑥ 제1항부터 제5항까지에서 규정한 사항 외에 특정관리대상지역의 지정, 관리 및 정비에 필요한 사항은 대통령령으로 정한다.

특정관리대상지역의 지정 등

① 중앙행정기관의 장 또는 지방자치단체의 장은 특정관리대상지역을 지정하기 위하여 소관 지역의 현황을 매년 정기적으로 또는 수시로 조사하여야 한다.

② 중앙행정기관의 장 또는 지방자치단체의 장은 다음 각 호의 어느 하나에 해당하는 지역을 특정관리대상지역의 지정·관리 등에 관한 지침에서 정하는 세부지정기준 등에 따라 특정관리대상지역으로 지정하거나 그 지정을 해제하여야 한다.
1. 자연재난으로 인한 피해의 위험이 높거나 피해가 우려되는 지역
2. 재난예방을 위하여 관리할 필요가 있다고 인정되는 지역으로서 별표 2의2에 해당하는 지역
3. 그 밖에 재난관리책임기관의 장이 재난의 예방을 위하여 특별히 관리할 필요가 있다고 인정하는 지역

> [별표 2의2] <개정 2018. 1. 18.>
>
> <u>특정관리대상지역의 지정대상</u>(제31조제2항제2호 관련)
>
> 1. 법 제41조제1항에 따른 위험구역
> 2. 「산업입지 및 개발에 관한 법률」 제26조에 따른 공공시설이 설치된 지역
> 3. 「산업집적활성화 및 공장설립에 관한 법률」 제33조제6항에 따른 산업시설구역

③ 중앙행정기관의 장 또는 지방자치단체의 장은 제2항에 따라 특정관리대상지역을 지정하거나 해제할 때에는 행정안전부령으로 정하는 바에 따라 그 사실을 특정관리대상지역의 소유자·관리자 또는 점유자(이하 "관계인"이라 한다)에게 알려주어야 한다.

특정관리대상지역의 지정·관리 등에 관한 지침

① 관계 중앙행정기관의 장(재난관리책임기관이 지방자치단체인 경우에는 행정안전부장관을 말한다. 이하 이 조 및 제33조에서 같다)은 특정관리대상지역의 지정·관리 등에 관한 지침을 제정하여 관계 재난관리책임기관의 장에게 통보하여야 한다.

② 제1항에 따른 지침은 특정관리대상지역의 지정·관리 등에 필요한 다음 각 호의 사항을 포함하여야 한다.
1. 특정관리대상지역의 지정을 위한 세부기준에 관한 사항
2. 특정관리대상지역에 대한 조사 방법 및 특정관리대상지역의 지정·해제 절차 등에 관한 사항
3. 특정관리대상지역의 안전등급의 평가기준에 관한 사항
4. 특정관리대상지역의 안전점검과 유지·관리의 방법에 관한 사항
5. 그 밖에 관계 중앙행정기관의 장이 특정관리대상지역의 지정·관리 등에 필요하다고 인정하는 사항

재난발생의 위험성을 제거하기 위한 장기·단기 계획의 수립·시행

① 재난관리책임기관의 장은 특정관리대상지역으로부터 재난발생의 위험성을 제거하기 위한 다음 각 호의 사항이 포함된 장기·단기 계획을 수립하여 관계 중앙행정기관의 장에게 제출하여야 한다.
 1. 특정관리대상지역의 정비·관리에 관한 기본 방침
 2. 특정관리대상지역의 연도별 정비·관리계획에 관한 사항
 3. 개별 특정관리대상지역의 세부 정비·관리계획에 관한 사항
 4. 그 밖의 재원대책 등 필요한 사항

② 제1항에 따른 장기·단기 계획의 수립 및 시행에 필요한 세부 사항은 관계 중앙행정기관의 장이 정한다.

국고보조

 지방자치단체의 장이 특정관리대상지역(지방자치단체가 관리하는 특정관리대상지역 중 민간 소유 지역은 제외한다)의 위험성을 제거하기 위한 장·단기 계획을 수립하여 시행하는 경우 정부는 그 비용의 전부 또는 일부를 보조할 수 있다.

특정관리대상지역의 안전등급 및 안전점검 등

① 재난관리책임기관의 장은 특정관리대상지역을 특정관리대상지역의 지정·관리 등에 관한 지침에서 정하는 안전등급의 평가기준에 따라 다음 각 호의 어느 하나에 해당하는 등급으로 구분하여 관리하여야 한다.
1. A등급: 안전도가 우수한 경우
2. B등급: 안전도가 양호한 경우
3. C등급: 안전도가 보통인 경우
4. D등급: 안전도가 미흡한 경우
5. E등급: 안전도가 불량한 경우

② 재난관리책임기관의 장은 D등급 또는 E등급에 해당하거나 D등급 또는 E등급에서 상위 등급으로 조정되는 특정관리대상지역에 관한 다음 각 호의 사항을 해당 기관에서 발행하거나 관리하는 공보 또는 홈페이지 등에 공고하고, 이를 행정안전부장관에게 통보하여야 한다. D등급 또는 E등급에 해당하는 특정관리대상지역의 지정이 해제되는 경우에도 또한 같다.
 1. 특정관리대상지역의 명칭 및 위치
 2. 특정관리대상지역의 관계인의 인적사항
 3. 해당 등급의 평가 사유(D등급 또는 E등급에 해당하는 특정관리대상지역의 지정이 해제 되는 경우에는 그 사유를 말한다)

③ 재난관리책임기관의 장은 다음 각 호의 구분에 따라 특정관리대상지역에 대한 안전점검을 실시하여야 한다.

1. 정기안전점검
가. A등급, B등급 또는 C등급에 해당하는 특정관리대상지역: 반기별 1회 이상
나. D등급에 해당하는 특정관리대상지역: 월 1회 이상
다. E등급에 해당하는 특정관리대상지역: 월 2회 이상
2. 수시안전점검: 재난관리책임기관의 장이 필요하다고 인정하는 경우

④ 행정안전부장관은 특정관리대상지역을 체계적으로 관리하기 위하여 정보화시스템을 구축·운영할 수 있다.

⑤ 재난관리책임기관의 장은 제4항에 따라 운영되는 정보화시스템을 이용하여 특정관리대상지역을 관리하여야 한다.

특정관리대상지역에 대한 지정 및 조치 결과 보고

① 중앙행정기관의 장, 지방자치단체의 장 및 재난관리책임기관의 장은 특정관리대상지역을 지정하거나 특정관리대상지역의 관리·정비에 필요한 조치를 한 경우에는 제3항에 따라 지정 또는 조치한 날이 속하는 달의 말일까지 다음 각 호의 사항을 행정안전부장관에게 보고하거나 통보하여야 한다.
 1. 특정관리대상지역의 지정 현황
 2. 특정관리대상지역에 대한 정기·수시 점검 및 정비·보수 등 관리·정비에 필요한 조치 현황

② 행정안전부장관은 법 제27조제4항에 따라 매년 1회 이상 특정관리대상지역에 대한 지정 및 조치 현황을 국무총리에게 보고하여야 하며, 필요한 경우에는 수시로 보고할 수 있다.

시정조치 결과 제출
 재난관리책임기관의 장은 시정조치나 보완을 요구받은 경우에는 재난예방을 위한 조치를 한 후 그 조치 결과를 관계 중앙행정기관의 장 및 행정안전부장관을 거쳐 중앙위원회의 위원장에게 제출할 수 있다. 다만, 재난관리책임기관인 중앙행정기관의 장은 직접 중앙위원회의 위원장에게 제출하여야 한다.

(4) 지방자치단체에 대한 지원

 행정안전부장관은 제27조제2항에 따른 지방자치단체의 조치 등에 필요한 지원 및 지도를 할 수 있고, 관계 중앙행정기관의 장에게 협조를 요청할 수 있다.

(5) 재난방지시설의 관리

① 재난관리책임기관의 장은 관계 법령 또는 제3장의 안전관리계획에서 정하는 바에 따라 대통령령으로 정하는 재난방지시설을 점검·관리하여야 한다.

② 행정안전부장관은 재난방지시설의 관리 실태를 점검하고 필요한 경우 보수·보강 등의 조치를 재난관리책임기관의 장에게 요청할 수 있다. 이 경우 요청을 받은 재난관리책임기관의 장은 신속하게 조치를 이행하여야 한다.

(6) 재난안전분야 종사자 교육

① 재난관리책임기관에서 재난 및 안전관리업무를 담당하는 공무원이나 직원은 행정안전부장관이 실시하는 전문교육(이하 "전문교육"이라 한다)을 행정안전부령으로 정하는 바에 따라 정기적으로 또는 수시로 받아야 한다.

> **재난안전분야 종사자 교육 종류 등**
>
> ① 재난안전분야 종사자 전문교육은 관리자 전문교육과 실무자 전문교육으로 구분하며, 그 교육 대상자는 다음 각 호와 같다.
> 1. 관리자 전문교육: 다음 각 목에 해당하는 사람
> 가. 재난관리책임기관에서 재난 및 안전관리 업무를 담당하는 부서의 장
> 나. 시·군·구의 부단체장 (부단체장이 2명 이상인 경우에는 재난 및 안전관리 업무를 관할하는 부단체장)
> 2. 실무자 전문교육: 재난관리책임기관에서 재난 및 안전관리 업무를 담당하는 부서의 공무원   또는 직원으로서 제1호에 해당하지 아니하는 사람
>
> ② 전문교육의 교육기간은 3일 이내로 하고, 전문교육의 대상자는 해당 업무를 맡은 후 1년 이내에 신규교육을 받아야 하며, 신규교육을 받은 후 매 2년마다 정기교육을 받아야 한다.
>
> ③ 제1항과 제2항에서 규정한 사항 외에 전문교육의 교육과정 운영 등에 관하여 필요한 사항은 행정안전부장관이 정한다.

② 행정안전부장관은 필요하다고 인정하면 대통령령으로 정하는 전문인력 및 시설기준을 갖춘 교육기관으로 하여금 전문교육을 대행하게 할 수 있다.

> **재난안전분야 종사자 교육을 위한 전문교육기관**
>
> 전문교육을 대행하게 할 수 있는 교육기관은 다음 각 호와 같다.
> 1. 행정안전부, 관계 중앙행정기관 또는 시·도 소속의 공무원 교육기관
> 2. 재난관리책임기관(행정기관 외의 기관만 해당한다) 소속의 교육기관
> 3. 재난 및 안전관리 분야 교육 운영 실적이 있는 민간교육기관으로서 행정안전부장관이 지정하는 교육기관

③ 행정안전부장관은 정당한 사유 없이 전문교육을 받지 아니한 자에 대하여 소속 재난관리책임기관의 장에게 징계할 것을 요구할 수 있다.

④ 전문교육의 종류 및 대상, 그 밖에 전문교육의 실시에 필요한 사항은 행정안전부령으로 정한다.

(7)재난예방을 위한 긴급안전점검 등

① 행정안전부장관 또는 재난관리책임기관(행정기관만)의 장은 대통령령으로 정하는 시설 및 지역에 재난이 발생할 우려가 있는 등 대통령령으로 정하는 긴급한 사유가 있으면 소속 공무원으로 하여금 긴급안전점검을 하게 하고, 행정안전부장관은 다른 재난관리책임기관의 장에게 긴급안전점검을 하도록 요구할 수 있다. 이 경우 요구를 받은 재난관리책임기관의 장은 특별한 사유가 없으면 요구에 따라야 한다.

긴급안전점검 대상 시설 등

① 긴급안전점검의 대상이 되는 시설 및 지역은 특정관리대상지역과 그 밖에 행정안전부장관, 시·도지사 또는 시장·군수·구청장이 긴급안전점검이 필요하다고 인정하는 시설 및 지역으로 한다.

② 법 제30조제1항에 따라 긴급안전점검이 필요한 긴급한 사유는 다음 각 호와 같다.
1. 사회적으로 피해가 큰 재난이 발생하여 피해시설의 긴급한 안전점검이 필요하거나 이와 유사한 시설의 재난예방을 위하여 점검이 필요한 경우
2. 계절적으로 재난 발생이 우려되는 취약시설에 대한 안전대책이 필요한 경우

---

② 제1항에 따라 긴급안전점검을 하는 공무원은 관계인에게 필요한 질문을 하거나 관계 서류 등을 열람할 수 있다.

③ 제1항에 따른 긴급안전점검의 절차 및 방법, 긴급안전점검결과의 기록·유지 등에 필요한 사항은 대통령령으로 정한다.

긴급안전점검 대상 시설 등

③ 행정안전부장관과 재난관리책임기관의 장은 긴급안전점검을 실시할 때에는 미리 긴급안전점검 대상 시설 및 지역의 관계인에게 긴급안전점검의 목적·날짜 등을 서면으로 통지하여야 한다. 다만, 서면 통지로는 긴급안전점검의 목적을 달성할 수 없는 경우에는 말로 통지할 수 있다.

④ 긴급안전점검을 실시하였을 때에는 행정안전부령으로 정하는 긴급안전점검 대상 시설 및 지역의 관리에 관한 카드에 긴급안전점검 결과 및 안전조치 사항 등을 기록·유지하여야 한다.

---

④ 제1항에 따라 긴급안전점검을 하는 공무원은 그 권한을 표시하는 증표를 지니고 이를 관계인에게 보여주어야 한다.

⑤ 행정안전부장관은 제1항에 따라 긴급안전점검을 하면 그 결과를 해당 재난관리책임기관의 장에게 통보하여야 한다.

⑥ 긴급안전점검을 하는 공무원은 이 법에 규정된 범죄에 관하여는 「사법경찰관리의 직무를 수행할 자와 그 직무범위에 관한 법률」에서 정하는 바에 따라 사법경찰관리의 직무를 수행한다.

(8)재난예방을 위한 긴급안전조치

① 행정안전부장관 또는 재난관리책임기관(행정기관만)의 장은 제30조에 따른 긴급안전점검 결과 재난 발생의 위험이 높다고 인정되는 시설 또는 지역에 대하여는 대통령령으로 정하는 바에 따라 그 소유자·관리자 또는 점유자에게 다음 각 호의 안전조치를 할 것을 명할 수 있다.

1. 정밀안전진단(시설만 해당한다)
2. 보수(補修) 또는 보강 등 정비
3. 재난을 발생시킬 위험요인의 제거

안전조치명령

①행정안전부장관 또는 재난관리책임기관의 장은 안전조치에 필요한 사항을 명하려는 경우에는 다음 각 호의 사항이 적힌 행정안전부령으로 정하는 안전조치명령서를 제38조제1항에 따른 시설 및 지역의 관계인에게 통지하여야 한다.
1. 안전점검의 결과
2. 안전조치를 명하는 이유
3. 안전조치의 이행기한
4. 안전조치를 하여야 하는 사항
5. 안전조치 방법
6. 안전조치를 한 후 관계 재난관리책임기관의 장에게 통보하여야 하는 사항

---

② 제1항에 따른 안전조치명령을 받은 소유자·관리자 또는 점유자는 이행계획서를 작성하여 행정안전부장관 또는 재난관리책임기관의 장에게 제출한 후 안전조치를 하고, 행정안전부령으로 정하는 바에 따라 그 결과를 행정안전부장관 또는 재난관리책임

기관의 장에게 통보하여야 한다.

안전조치명령

② 작성·제출하여야 하는 이행계획서에는 다음 각 호의 사항이 포함되어야
한다.
 1. 안전조치를 이행하는 관계인의 인적사항
 2. 이행할 안전조치의 내용 및 방법
 3. 안전조치의 이행기한

③ 행정안전부장관 또는 재난관리책임기관의 장은 법 제31조제2항에 따라
안전조치 결과를 통보받은 경우에는 안전조치 이행 여부를 확인하여야 한다.

안전조치 결과의 통보

 안전조치명령을 받은 소유자·관리자 또는 점유자는 안전조치를 하였을 때
에는 별지 제12호서식의 안전조치 결과 통보서에 안전조치 결과를 증명할
수 있는 서류·사진 등을 첨부하여 행정안전부장관 또는 해당 재난관리책임
기관의 장에게 통보하여야 한다.

---

③ 행정안전부장관 또는 재난관리책임기관의 장은 제1항에 따른
안전조치명령을 받은 자가 그 명령을 이행하지 아니하거나 이행
할 수 없는 상태에 있고, 안전조치를 이행하지 아니할 경우 공중
의 안전에 위해를 끼칠 수 있어 재난의 예방을 위하여 긴급하다
고 판단하면 그 시설 또는 지역에 대하여 사용을 제한하거나 금
지시킬 수 있다. 이 경우 그 제한하거나 금지하는 내용을 보기
쉬운 곳에 게시하여야 한다.

④ 행정안전부장관 또는 재난관리책임기관의 장은 안전조치명령
을 받아 이를 이행하여야 하는 자가 그 명령을 이행하지 아니하

거나 이행할 수 없는 상태에 있고, 재난예방을 위하여 긴급하다고 판단하면 그 명령을 받아 이를 이행하여야 할 자를 갈음하여 필요한 안전조치를 할 수 있다. 이 경우 「행정대집행법」을 준용한다.

⑤ 행정안전부장관 또는 재난관리책임기관의 장은 제3항에 따른 안전조치를 할 때에는 미리 해당 소유자·관리자 또는 점유자에게 서면으로 이를 알려 주어야 한다. 다만, 긴급한 경우에는 구두로 알리되, 미리 구두로 알리는 것이 불가능하거나 상당한 시간이 걸려 공중의 안전에 위해를 끼칠 수 있는 경우에는 안전조치를 한 후 그 결과를 통보할 수 있다.

(9) 안전취약계층에 대한 안전 환경 지원

① 제3조제5호가목에 따른 재난관리책임기관의 장은 안전취약계층이 재난이나 그 밖의 각종 사고로부터 안전을 확보할 수 있는 생활환경을 조성하기 위하여 안전용품의 제공 및 시설 개선 등 필요한 사항을 지원하기 위하여 노력하여야 한다.

② 제1항에 따른 지원의 대상, 범위, 방법 및 절차 등에 필요한 사항은 대통령령 또는 해당 지방자치단체의 조례로 정한다.

③ 행정안전부장관은 제3조제5호가목에 따른 재난관리책임기관의 장에게 제1항에 따른 지원이 원활히 수행되는 데 필요한 사항을 요청할 수 있다. 이 경우 요청을 받은 재난관리책임기관의

장은 특별한 사유가 없으면 요청에 따라야 한다.

④ 행정안전부장관은 제1항에 따른 지원과 관련하여 지방자치단체에 필요한 지원 및 지도를 할 수 있다.

(10) 재난안전분야 제도개선

① 행정안전부장관은 재난 예방 및 국민 안전 확보를 위하여 재난안전분야 제도개선 과제(이하 "개선과제"라 한다)를 선정하여 재난관리주관기관의 장에게 개선과제의 이행을 요청할 수 있다.

② 행정안전부장관은 개선과제의 선정을 위하여 일반 국민, 지방자치단체 또는 민간단체 등으로부터 의견을 수렴할 수 있으며, 관련 분야 전문가에게 자문할 수 있다.

③ 제1항에 따른 요청을 받은 재난관리주관기관의 장은 행정안전부령으로 정하는 바에 따라 개선과제의 이행 요청에 대한 수용 여부를 행정안전부장관에게 통보하여야 한다.

④ 재난관리주관기관의 장은 제3항에 따라 개선과제의 이행 요청을 수용하기로 한 경우 해당 개선과제의 이행상황을 분기별로 점검하고 그 결과를 행정안전부장관에게 통보하여야 한다.

(11) 정부합동 안전 점검

① 행정안전부장관은 재난관리책임기관의 재난 및 안전관리 실태를 점검하기 위하여 대통령령으로 정하는 바에 따라 정부합동안전점검단(이하 "정부합동점검단"이라 한다)을 편성하여 안전 점검을 실시할 수 있다.

정부합동안전점검단의 구성 및 점검 방법 등

① 정부합동안전점검단은 행정안전부장관이 소속 공무원과 관계 재난관리책임기관에서 파견된 공무원 또는 직원으로 구성한다.

② 정부합동점검단의 단장은 행정안전부장관이 지명한다.

③ 정부합동 안전 점검은 다음 각 호의 구분에 따라 실시할 수 있다.
1. 정기점검: 계절적 요인 등을 고려하여 정기적으로 실시하는 점검
2. 수시점검: 사회적 쟁점, 유사한 사고의 방지 등을 위하여 수시로 실시하는 점검

④ 제3항에 따라 정부합동 안전 점검을 실시할 때에는 점검을 받는 재난관리책임기관의 장에게 미리 점검계획을 통보하여야 한다. 다만, 긴급한 수시점검의 경우에는 점검계획의 통보를 생략할 수 있다.

⑤ 정부합동 안전 점검을 효율적으로 실시하기 위하여 필요한 경우에는 재난관리책임기관의 장에게 미리 점검에 필요한 자료를 제출하도록 요청하거나 점검 대상 시설 등의 관계인 또는 전문가의 의견을 들을 수 있다.

⑥ 제5항에 따라 전문가의 의견을 들은 경우에는 예산의 범위에서 그 전문가에게 수당 등을 지급할 수 있다.

⑦ 행정안전부장관은 정부합동 안전 점검의 효율성 제고와 업무의 중복 등을 방지하기 위하여 필요한 경우에는 관계 중앙행정기관으로부터 재난 및 안전관리 분야 점검계획을 제출받아 점검시기, 대상 및 분야 등을 조정할 수 있다.

---

② 행정안전부장관은 정부합동점검단을 편성하기 위하여 필요하면 관계 재난관리책임기관의 장에게 관련 공무원 또는 직원의 파견을 요청할 수 있다. 이 경우 요청을 받은 관계 재난관리책임기관의 장은 특별한 사유가 없으면 요청에 따라야 한다.

③ 행정안전부장관은 제1항에 따른 점검을 실시하면 점검결과를 관계 재난관리책임기관의 장에게 통보하고, 보완이나 개선이 필요한 사항에 대한 조치를 관계 재난관리책임기관의 장에게 요구할 수 있다.

④ 제3항에 따라 점검결과 및 조치 요구사항을 통보받은 관계 재난관리책임기관의 장은 보완이나 개선이 필요한 사항에 대한 조치계획을 수립하여 필요한 조치를 한 후 그 결과를 행정안전부장관에게 통보하여야 한다.

⑤ 행정안전부장관은 제4항에 따른 조치 결과를 점검할 수 있다.

⑥ 행정안전부장관은 제1항에 따른 안전 점검 결과와 제4항에 따른 조치 결과를 제66조의9제2항에 따른 안전정보통합관리시스템을 통하여 공개할 수 있다. 다만, 「공공기관의 정보공개에 관한 법률」 제9조제1항 각 호의 어느 하나에 해당하는 정보에 대해서는 공개하지 아니할 수 있다.

⑦ 긴급안전점검을 하는 공무원은 이 법에 규정된 범죄에 관하여는 「사법경찰관리의 직무를 수행할 자와 그 직무범위에 관한 법률」에서 정하는 바에 따라 사법경찰관리의 직무를 수행한다.

(12) 사법경찰권

긴급안전점검을 하는 공무원은 이 법에 규정된 범죄에 관하여는 「사법경찰관리의 직무를 수행할 자와 그 직무범위에 관한 법률」에서 정하는 바에 따라 사법경찰관리의 직무를 수행한다.

(13) 집중 안전점검 기간 운영 등

① 행정안전부장관은 재난을 예방하고 국민의 안전의식을 높이기 위하여 재난관리책임기관의 장의 의견을 들어 매년 집중 안전점검 기간을 설정하고 그 운영에 필요한 계획을 수립하여야 한다.

② 행정안전부장관 및 재난관리책임기관의 장은 제1항에 따른 집중 안전점검 기간 동안에 재난이나 그 밖의 각종 사고의 발생이 우려되는 시설 등에 대하여 집중적으로 안전점검을 실시할 수 있다.

③ 행정안전부장관은 제2항에 따른 집중 안전점검 기간에 실시한 안전점검 결과로서 재난관리책임기관의 장이 관계 법령에 따라 공개하는 정보를 제66조의9제2항에 따른 안전정보통합관리시스템을 통하여 공개할 수 있다.

④ 제1항부터 제3항까지에서 규정한 사항 외에 집중 안전점검 기간의 설정 및 운영 등에 필요한 사항은 대통령령으로 정한다.

집중 안전점검 기간의 운영 등

① 행정안전부장관은 법 제32조의3제1항에 따라 집중 안전점검 기간 운영에 필요한 계획(이하 이 조에서 "집중안전점검기간운영계획"이라 한다)을 수립하고 관계 중앙행정기관의 장 및 시·도지사에게 통보해야 한다.

② 집중안전점검기간운영계획에는 다음 각 호의 사항이 포함되어야 한다.
1. 집중 안전점검 기간, 추진 일정, 점검 대상 및 방법에 관한 사항
2. 재난예방 및 국민의 안전의식 개선에 관한 사항
3. 집중 안전점검 기간 운영 실적 평가에 관한 사항
4. 집중 안전점검 결과에 대한 이력관리 및 후속조치 등에 관한 사항
5. 그 밖에 집중 안전점검 기간 운영에 필요한 사항

③ 제1항에 따라 집중안전점검기간운영계획을 통보받은 관계 중앙행정기관의 장은 소관 분야의 집중 안전점검 기간 실행계획 수립을 위한 지침(이하 이 조에서 "실행계획 수립지침"이라 한다)을 작성하여 시·도지사 및 소관 분야의 법 제3조제5호나목에 따른 재난관리책임기관의 장에게 통보할 수 있다.

④ 제3항에 따라 실행계획 수립지침을 통보받은 법 제3조제5호나목에 따른 재난관리책임기관의 장이 그 소관 분야의 집중 안전점검 기간 실행계획을 작성한 경우에는 소관 중앙행정기관의 장, 관할 시·도지사 및 시장·군수·구청장에게 제출할 수 있다.

⑤ 시·도지사는 집중안전점검기간운영계획, 실행계획 수립지침 및 제4항에 따른 실행계획을 종합하여 시·도의 집중 안전점검 기간 실행계획 수립을 위한 지침(이하 이 조에서 "시·도 실행계획 수립지침"이라 한다)을 작성하여 시장·군수·구청장에게 통보할 수 있다.

⑥ 시장·군수·구청장이 제4항에 따른 실행계획 및 시·도 실행계획 수립지침을 종합하여 시·군·구의 집중 안전점검 기간 실행계획(이하 이 조에서 "시·군·구 실행계획"이라 한다)을 작성한 경우에는 이를 시·도지사에게 제출하고 관할 지역의 법 제3조제5호나목에 따른 재난관리책임기관의 장에게 통보할 수 있다.

⑦ 시·도지사가 집중안전점검기간운영계획, 실행계획 수립지침, 제4항에 따른 실행계획 및 시·군·구 실행계획을 종합하여 시·도의 집중 안전점검 기간 실행계획(이하 이 조에서 "시·도 실행계획"이라 한다)을 작성한 경우에는 이를 행정안전부장관, 관계 중앙행정기관의 장 및 관할 지역의 법 제3조 제5호나목에 따른 재난관리책임기관의 장에게 통보할 수 있다.

⑧ 관계 중앙행정기관의 장이 집중안전점검기간운영계획, 제4항에 따른 실행계획 및 시·도 실행계획을 종합하여 소관 분야의 집중 안전점검 기간 실행계획을 수립한 경우에는 이를 행정안전부장관에게 통보할 수 있다.

⑨ 관계 중앙행정기관의 장 및 지방자치단체의 장이 소관 분야 또는 관할 지역의 집중 안전점검 기간을 운영하는 경우에는 그 결과를 집중 안전점검 기간 종료 후에 관계 중앙행정기관의 장 및 시·도지사는 행정안전부장관에게, 시장·군수·구청장은 시·도지사에게 제출할 수 있다.

⑩ 행정안전부장관 및 집중 안전점검 기간을 운영하는 기관의 장은 집중 안전점검 기간 운영에 필요한 예산 및 인력을 확보하는 등의 조치를 해야 한다.

⑪ 행정안전부장관은 집중 안전점검 기간을 운영하는 지방자치단체에 대해서는 재정적 지원 및 포상 등 필요한 조치를 할 수 있다.

⑫ 제1항부터 제11항까지에서 규정한 사항 외에 집중 안전점검 기간 운영에 필요한 사항은 행정안전부장관이 정한다.

(14)안전관리전문기관에 대한 자료요구 등

① 행정안전부장관은 재난 예방을 효율적으로 추진하기 위하여 대통령령으로 정하는 안전관리전문기관에 안전점검결과, 주요시설물의 설계도서 등 대통령령으로 정하는 안전관리에 필요한 자료를 요구할 수 있다.

② 제1항에 따라 자료를 요구받은 안전관리전문기관의 장은 특별한 사유가 없으면 요구에 따라야 한다.

안전관리전문기관

안전관리전문기관은 다음 각 호와 같다.
1. 한국소방산업기술원   2. 한국농어촌공사
3. 한국가스안전공사   4. 한국전기안전공사
5. 한국에너지공단   6. 한국산업안전보건공단
7. 한국시설안전공단   8. 교통안전공단
9. 도로교통공단   10. 한국방재협회
11. 한국소방안전원   12. 한국승강기안전공단
13. 그 밖에 행정안전부장관이 안전관리에 관한 자료를 요구할 필요가 있다고 인정하여 고시하는 기관

---

(15) 재난관리체계 등에 대한 평가 등

① 행정안전부장관은 대통령령으로 정하는 바에 따라 다음 각 호의 사항을 정기적으로 평가할 수 있다.
 1. 대규모재난의 발생에 대비한 단계별 예방·대응 및 복구과정
 2. 재난에 대응할 조직의 구성 및 정비 실태
 3. 안전관리체계 및 안전관리규정
 4. 재난관리기금의 운용 현황

② 제1항에도 불구하고 공공기관에 대하여는 관할 중앙행정기관의 장이 평가를 하고, 시·군·구에 대하여는 시·도지사가 평가를 한다.

③ 행정안전부장관은 다음 각 호의 어느 하나에 해당하는 경우에는 제2항에 따른 평가에 대한 확인평가를 할 수 있다.
1. 제5항에 따른 우수한 기관을 선정하기 위하여 필요한 경우
2. 그 밖에 행정안전부장관이 재난 및 안전관리를 위하여 필요하다고 인정하는 경우

④ 행정안전부장관은 제1항과 제3항에 따른 평가 결과를 중앙위원회에 종합 보고한다.

⑤ 행정안전부장관은 필요하다고 인정하면 해당 재난관리책임기관의 장에게 시정조치나 보완을 요구할 수 있으며, 우수한 기관에 대하여는 예산지원 및 포상 등 필요한 조치를 할 수 있다. 다만, 공공기관의 장 및 시장·군수·구청장에게 시정조치나 보완 요구를 하려는 경우에는 관할 중앙행정기관의 장 및 시·도지사에게 한다.

⑥ 행정안전부장관은 제2항에 따른 공공기관에 대한 평가 결과를 「공공기관의 운영에 관한 법률」 제48조에 따른 공공기관 경영실적 평가에 반영하도록 기획재정부장관에게 요구할 수 있다.

> **재난관리체계 등의 평가**
>
> ① 행정안전부장관은 대규모의 재난 발생에 대비한 단계별 예방·대응 및 복구과정을 평가하는 경우에는 다음 각 호의 사항을 평가할 수 있다.
> 1. 집행계획, 세부집행계획, 시·도안전관리계획 및 시·군·구안전관리계획의 평가
> 2. 재난예방을 위한 교육·홍보 실태
> 2의2. 재난 및 안전관리 분야 종사자의 전문교육 이수 실태
> 3. 특정관리대상지역과 국가핵심기반의 관리 실태
> 3의2. 재난유형별 위기관리 매뉴얼의 작성·운용 및 관리 실태
> 4. 응급대책을 위한 자재·물자·장비·이재민수용시설 등의 지정 및 관리 실태
> 5. 재난상황 관리의 운용 실태
> 6. 자체복구계획 또는 같은 조 제4항에 따른 재난복구계획에 따라 시행하는 사업의 추진 사항 등
> ② 행정안전부장관은 재난관리체계 등의 평가를 위하여 재난관리체계 등의 평가에 관한 지침을 마련하여 재난관리책임기관의 장에게 알려야 한다.
> ③ 재난관리체계 등의 평가는 서면조사 또는 현지조사의 방법으로 한다.
> ④ 행정안전부장관은 재난관리체계 등의 평가를 위하여 필요하다고 인정하는 경우에는 관계 중앙행정기관의 장과 소관 재난관리책임기관의 장에게 각각 재난 및 안전관리체계의 구축, 안전관리규정의 제정 및 그 정비·보완에 관한 자료 제출을 요청할 수 있다.

(16) 재난관리 실태 공시 등

① 시장·군수·구청장은 다음 각 호의 사항이 포함된 재난관리 실태를 매년 1회 이상 관할 지역 주민에게 공시하여야 한다.
 1. 전년도 재난의 발생 및 수습 현황
 2. 재난예방조치 실적
 3. 재난관리기금의 적립 현황
 4. 현장조치 행동매뉴얼의 작성·운용 현황

5. 그 밖에 대통령령으로 정하는 재난관리에 관한 중요 사항

재난관리실태 공시방법 및 시기 등

① "대통령령으로 정하는 재난관리에 관한 중요 사항"이란 다음 각 호의 사항을 말한다.
1. 「자연재해대책법」 제75조의2에 따른 지역안전도 진단 결과
2. 그 밖에 재난관리를 위하여 시장·군수·구청장이 지역주민에게 알릴 필요가 있다고 인정하는 사항

---

② 행정안전부장관 또는 시·도지사는 제33조의2에 따른 평가 결과를 공개할 수 있다.
③ 제1항 및 제2항에 따른 공시 방법 및 시기 등 필요한 사항은 대통령령으로 정한다.

재난관리실태 공시방법 및 시기 등

② 시장·군수·구청장은 매년 3월 31일까지 재난관리 실태를 해당 지방자치단체의 공보에 공고하여야 한다.

③ 공개하는 평가 결과에는 다음 각 호의 사항이 포함되어야 한다.
1. 평가시기 및 대상기관
2. 평가 결과 우수기관으로 선정된 기관

---

5) 재난의 대비

(1) 재난관리자원의 관리

① 재난관리책임기관의 장은 재난관리를 위하여 필요한 물품, 재산 및 인력 등의 물적·인적자원(이하 "재난관리자원"이라 한다)을 비축하거나 지정하는 등 체계적이고 효율적으로 관리하여야 한다.

② 재난관리자원의 관리에 관하여는 따로 법률로 정한다.

> **재난관리자원의 관리 등에 관한 법률 (약칭: 재난관리자원법)**
> **[시행 2024. 1. 18.]**

(2) 재난현장 긴급통신수단의 마련

① 재난관리책임기관의 장은 재난의 발생으로 인하여 통신이 끊기는 상황에 대비하여 미리 유선이나 무선 또는 위성통신망을 활용할 수 있도록 긴급통신수단을 마련하여야 한다.

② 행정안전부장관은 재난현장에서 제1항에 따른 긴급통신수단(이하 "긴급통신수단"이라 한다)이 공동 활용될 수 있도록 하기 위하여 재난관리책임기관, 긴급구조기관 및 긴급구조지원기관에서 보유하고 있는 긴급통신수단의 보유 현황 등을 조사하고, 긴급통신수단을 관리하기 위한 체계를 구축·운영할 수 있다.

③ 행정안전부장관은 제2항에 따른 조사를 위하여 필요한 자료의 제출을 재난관리책임기관, 긴급구조기관 및 긴급구조지원기관의 장에게 요청할 수 있다. 이 경우 요청을 받은 관계 기관의 장은 특별한 사유가 없으면 요청에 따라야 한다.

④ 긴급통신수단을 관리하기 위한 체계를 구축·운영하는 데 필요한 사항은 대통령령으로 정한다.

> **재난현장 긴급통신 수단의 마련**
> ① 행정안전부장관은 긴급통신수단이 효율적으로 활용될 수 있도록 긴급통신수단 관리지침을 마련하여 재난관리책임기관, 긴급구조기관 및 긴급구조지원기관의 장에게 통보하여야 한다.
> ② 재난관리책임기관의 장은 제1항에 따른 긴급통신수단 관리지침에 따라 보유 중인 긴급통신수단이 효과적으로 연계되도록 수시로 점검하여야 한다.

(3) 국가재난관리기준의 제정·운용 등

① 행정안전부장관은 재난관리를 효율적으로 수행하기 위하여 다음 각 호의 사항이 포함된 국가재난관리기준을 제정하여 운용하여야 한다. 다만, 「산업표준화법」 제12조에 따른 한국산업표준을 적용할 수 있는 사항에 대하여는 한국산업표준을 반영할 수 있다.
 1. 재난분야 용어정의 및 표준체계 정립
 2. 국가재난 대응체계에 대한 원칙
 3. 재난경감·상황관리·유지관리 등에 관한 일반적 기준
 4. 그 밖의 대통령령으로 정하는 사항

② 제1항의 기준을 제정 또는 개정할 때에는 미리 관계 중앙행정기관의 장의 의견을 들어야 한다.

③ 행정안전부장관은 재난관리책임기관의 장이 재난관리업무를 수행함에 있어 제1항의 국가재난관리기준을 적용하도록 권고할 수 있다.

(4) 기능별 재난대응 활동계획의 작성·활용

① 재난관리책임기관의 장은 재난관리가 효율적으로 이루어질 수 있도록 대통령령으로 정하는 바에 따라 기능별 재난대응 활동계획(이하 "재난대응활동계획"이라 한다)을 작성하여 활용하여야 한다.

② 행정안전부장관은 재난대응활동계획의 작성에 필요한 작성지침을 재난관리책임기관의 장에게 통보할 수 있다.

③ 행정안전부장관은 재난관리책임기관의 장이 작성한 재난대응

활동계획을 확인·점검하고, 필요하면 관계 재난관리책임기관의 장에게 시정을 요청할 수 있다. 이 경우 시정 요청을 받은 재난관리책임기관의 장은 특별한 사유가 없으면 요청에 따라야 한다.

④ 제1항부터 제3항까지에서 규정한 사항 외에 재난대응활동계획의 작성·운용·관리 등에 필요한 사항은 대통령령으로 정한다.

기능별 재난대응 활동계획의 작성·활용

① 재난대응 활동계획에는 다음 각 호의 기능이 포함되어야 한다.
 1. 재난상황관리 기능
 2. 긴급 생활안정 지원 기능
 3. 긴급 통신 지원 기능
 4. 시설피해의 응급복구 기능
 5. 에너지 공급 피해시설 복구 기능
 6. 재난관리자원 지원 기능
 7. 교통대책 기능
 8. 의료 및 방역서비스 지원 기능
 9. 재난현장 환경 정비 기능
 10. 자원봉사 지원 및 관리 기능
 11. 사회질서 유지 기능
 12. 재난지역 수색, 구조·구급지원 기능
 13. 재난 수습 홍보 기능

---

(5) 재난분야 위기관리 매뉴얼 작성·운용

① 재난관리책임기관의 장은 재난을 효율적으로 관리하기 위하여 재난유형에 따라 다음 각 호의 위기관리 매뉴얼을 작성·운용하여야 한다. 이 경우 재난대응활동계획과 위기관리 매뉴얼이 서로 연계되도록 하여야 한다.

1. 위기관리 표준매뉴얼: 국가적 차원에서 관리가 필요한 재난에 대하여 재난관리 체계와 관계 기관의 임무와 역할을 규정한 문서로 위기대응 실무매뉴얼의 작성 기준이 되며, 재난관리주관기관의 장이 작성한다. 다만, 다수의 재난관리주관기관이 관련되는 재난에 대해서는 관계 재난관리주관기관의 장과 협의하여 행정안전부장관이 위기관리 표준매뉴얼을 작성할 수 있다.

2. 위기대응 실무매뉴얼: 위기관리 표준매뉴얼에서 규정하는 기능과 역할에 따라 실제 재난대응에 필요한 조치사항 및 절차를 규정한 문서로 재난관리주관기관의 장과 관계 기관의 장이 작성한다. 이 경우 재난관리주관기관의 장은 위기대응 실무매뉴얼과 제1호에 따른 위기관리 표준매뉴얼을 통합하여 작성할 수 있다.

3. 현장조치 행동매뉴얼: 재난현장에서 임무를 직접 수행하는 기관의 행동조치 절차를 구체적으로 수록한 문서로 위기대응 실무매뉴얼을 작성한 기관의 장이 지정한 기관의 장이 작성하되, 시장·군수·구청장은 재난유형별 현장조치 행동매뉴얼을 통합하여 작성할 수 있다. 다만, 현장조치 행동매뉴얼 작성 기관의 장이 다른 법령에 따라 작성한 계획·매뉴얼 등에 재난

유형별 현장조치 행동매뉴얼에 포함될 사항이 모두 포함되어 있는 경우 해당 재난유형에 대해서는 현장조치 행동매뉴얼이 작성된 것으로 본다.

② 행정안전부장관은 재난유형별 위기관리 매뉴얼의 작성 및 운용기준을 정하여 관계 중앙행정기관의 장 및 재난관리책임기관의 장에게 통보할 수 있다.

③ 재난관리주관기관의 장이 작성한 위기관리 표준매뉴얼은 행정안전부장관의 승인을 받아 이를 확정하고, 위기대응 실무매뉴얼과 연계하여 운용하여야 한다.

④ 재난관리주관기관의 장은 위기관리 표준매뉴얼 및 위기대응 실무매뉴얼을 정기적으로 점검하여야 한다.

⑤ 행정안전부장관은 재난유형별 위기관리 매뉴얼의 표준화 및 실효성 제고를 위하여 대통령령으로 정하는 위기관리 매뉴얼협의회를 구성·운영할 수 있다.

위기관리 매뉴얼협의회의 구성·운영

① 위기관리 매뉴얼협의회(이하 이 조에서 "협의회"라 한다)는 위원장 1명을 포함하여 200명 이내의 위원으로 구성한다.
② 협의회는 다음 각 호의 사항을 심의한다.
1. 위기관리 표준매뉴얼 및 위기대응 실무매뉴얼의 검토에 관한 사항
2. 위기관리 매뉴얼의 작성방법 및 운용기준 등에 관한 사항
3. 위기관리 매뉴얼의 개선에 관한 사항
4. 그 밖에 행정안전부장관이 위기관리 매뉴얼의 표준화 및 실효성 제고를

위하여 필요하다고 인정하는 사항

③ 협의회의 위원은 다음 각 호의 사람 중에서 행정안전부장관이 임명하거나 위촉한다.

1. 재난관리주관기관에서 재난 및 안전관리 업무를 담당하는 부서의 과장급 이상 공무원

2. 재난관리책임기관에서 위기관리 매뉴얼에 관한 업무를 담당하는 공무원 또는 직원

3. 재난 및 안전관리 또는 위기관리 매뉴얼에 관한 학식과 경험이 풍부한 사람

④ 협의회의 위원장은 위원 중에서 행정안전부장관이 지명한다.

⑤ 위촉위원의 임기는 2년으로 하며, 위원의 사임 등으로 새로 위촉된 위원의 임기는 전임위원 임기의 남은 기간으로 한다.

⑥ 협의회의 회의에 출석하는 위원에게는 예산의 범위에서 수당과 여비 등을 지급할 수 있다. 다만, 공무원인 위원이 그 업무와 관련하여 회의에 참석하는 경우에는 그러하지 아니하다.

⑥ 재난관리주관기관의 장은 소관 분야 재난유형의 위기대응 실무매뉴얼 및 현장조치 행동매뉴얼을 조정·승인하고 지도·관리를 하여야 하며, 소관분야 위기관리 매뉴얼을 새로이 작성하거나 변경한 때에는 이를 행정안전부장관에게 통보하여야 한다.

⑦ 시장·군수·구청장이 작성한 현장조치 행동매뉴얼에 대하여는 시·도지사의 승인을 받아야 한다. 시·도지사는 현장조치 행동매뉴얼을 승인하는 때에는 재난관리주관기관의 장이 작성한 위기대응 실무매뉴얼과 연계되도록 하여야 하며, 승인 결과를 재난관리주관기관의 장 및 행정안전부장관에게 보고하여야 한다.

⑧ 행정안전부장관은 위기관리 매뉴얼의 체계적인 운용을 위하여 관리시스템을 구축·운영할 수 있으며, 제3항부터 제7항까지의 규정에 따른 위기관리 매뉴얼의 작성·운용 등 필요한 사항은 대통령령으로 정한다.

⑨ 행정안전부장관은 재난관리업무를 효율적으로 하기 위하여 대통령령으로 정하는 바에 따라 위기관리에 필요한 매뉴얼 표준안을 연구·개발하여 보급할 수 있다. 이 경우 다음 각 호의 사항을 고려하여야 한다.
1. 재난유형에 따른 국민행동요령의 표준화
2. 재난유형에 따른 예방·대비·대응·복구 단계별 조치사항에 관한 연구 및 표준화
3. 재난현장에서의 대응과 상호협력 절차에 관한 연구 및 표준화
4. 안전취약계층의 특성을 반영한 연구·개발
5. 그 밖에 위기관리에 관한 매뉴얼의 개선·보완에 필요한 사항

⑩ 행정안전부장관은 위기관리 매뉴얼의 작성·운용 실태를 정기적으로 점검하여야 하며, 필요한 경우 이를 시정 또는 보완하기 위하여 위기관리 매뉴얼을 작성·운용하는 기관의 장에게 필요한 조치를 하도록 권고할 수 있다. 이 경우 권고를 받은 기관의 장은 특별한 사유가 없으면 이에 따라야 한다

(6) 다중이용시설 등의 위기상황 매뉴얼 작성·관리 및 훈련

① 대통령령으로 정하는 다중이용시설 등의 소유자·관리자 또는 점유자는 대통령령으로 정하는 바에 따라 위기상황에 대비한 매뉴얼(이하 "위기상황 매뉴얼"이라 한다)을 작성·관리하여야 한다. 다만, 다른 법령에서 위기상황에 대비한 대응계획 등의 작성·관리에 관하여 규정하고 있는 경우에는 그 법령에서 정하는 바에 따른다.

위기상황 매뉴얼 작성·관리 대상

"대통령령으로 정하는 다중이용시설 등의 소유자·관리자 또는 점유자"란 다음 각 호의 어느 하나에 해당하는 건축물 또는 시설(이하 "다중이용시설등"이라 한다)의 관계인을 말한다.
 1. 「건축법 시행령」 제2조제17호가목에 따른 다중이용 건축물
 2. 그 밖에 제1호에 따른 건축물에 준하는 건축물 또는 시설로서 행정안전부장관이 법 제34조의6제1항 본문에 따른 위기상황에 대비한 매뉴얼(이하 "위기상황 매뉴얼"이라 한다)의 작성·관리가 필요하다고 인정하여 고시하는 건축물 또는 시설

위기상황 매뉴얼의 작성·관리 방법 등

① 다중이용시설등의 관계인이 작성·관리하여야 하는 위기상황 매뉴얼에는 다음 각 호의 사항이 포함되어야 한다.
 1. 위기상황 대응조직의 체계
 2. 위기상황 발생 시 구성원의 역할에 관한 사항
 3. 위기상황별·단계별 대처방법에 관한 사항
 4. 응급조치 및 피해복구에 관한 사항
 5. 그 밖에 행정안전부장관이 위기상황의 효율적인 극복을 위하여 필요하다고 인정하여 고시하는 사항
② 위기상황 매뉴얼을 작성·관리하는 관계인은 법 제34조의6제2항에 따라

매년 1회 이상 위기상황 매뉴얼에 따른 훈련을 실시하여야 한다.

③ 위기상황 매뉴얼을 작성·관리하는 관계인은 제2항에 따른 훈련 결과를 반영하여 위기상황 매뉴얼이 실제 위기상황에서 무리 없이 작동하도록 지속적으로 보완·발전시켜야 한다.

④ 행정안전부장관은 관계 중앙행정기관의 장 또는 지방자치단체의 장에게 소관 분야의 위기상황에 대비한 위기상황 매뉴얼의 표준안을 작성·보급할 것을 요청할 수 있다.

② 제1항에 따른 소유자·관리자 또는 점유자는 대통령령으로 정하는 바에 따라 위기상황 매뉴얼에 따른 훈련을 주기적으로 실시하여야 한다. 다만, 다른 법령에서 위기상황에 대비한 대응계획 등의 훈련에 관하여 규정하고 있는 경우에는 그 법령에서 정하는 바에 따른다.

③ 행정안전부장관, 관계 중앙행정기관의 장 또는 지방자치단체의 장은 위기상황 매뉴얼(제1항 단서 및 제2항 단서에 따른 위기상황에 대비한 대응계획 등을 포함한다)의 작성·관리 및 훈련 실태를 점검하고 필요한 경우에는 개선명령을 할 수 있다.

(7) 안전기준의 등록 및 심의

① 행정안전부장관은 안전기준을 체계적으로 관리·운용하기 위하여 안전기준을 통합적으로 관리할 수 있는 체계를 갖추어야 한다.

② 중앙행정기관의 장은 관계 법률에서 정하는 바에 따라 안전기준을 신설 또는 변경하는 때에는 행정안전부장관에게 안전기준의 등록을 요청하여야 한다.

③ 행정안전부장관은 제2항에 따라 안전기준의 등록을 요청받은 때에는 안전기준심의회의 심의를 거쳐 이를 확정한 후 관계 중앙행정기관의 장에게 통보하여야 한다.

④ 중앙행정기관의 장이 신설 또는 변경하는 안전기준은 제34조의3에 따른 국가재난관리기준에 어긋나지 아니하여야 한다.

⑤ 안전기준의 등록 방법 및 절차와 안전기준심의회 구성 및 운영에 관하여는 대통령령으로 정한다.

안전기준심의회의 구성 및 운영 등

① 안전기준심의회(이하 이 조에서 "심의회"라 한다)는 의장을 포함한 20명 이내의 위원으로 구성한다.

② 심의회는 다음 각 호의 사항을 심의·의결한다.
 1. 안전기준의 등록에 관한 사항
 2. 안전기준의 신설, 조정 및 보완에 관한 사항
 3. 그 밖에 의장이 회의에 부치는 사항

---

③ 심의회의 의장은 행정안전부의 재난안전관리사무를 담당하는 본부장이 된다.

④ 심의회의 위원은 다음 각 호의 사람 중에서 성별을 고려하여 행정안전부장관이 임명하거나 위촉한다.
 1. 관계 중앙행정기관의 고위공무원단에 속하는 일반직공무원 또는 이에 상당하는 공무원
 2. 안전기준에 관한 학식과 경험이 풍부한 사람

⑤ 위촉위원의 임기는 2년으로 하며, 두 차례만 연임할 수 있다.

⑥ 위원의 사임 등으로 새로 위촉된 위원의 임기는 전임위원 임기의 남은 기간으로 한다.

⑦ 행정안전부장관은 심의회 위원이 다음 각 호의 어느 하나에 해당하는 경우에는 해당 위원을 해임 또는 해촉(解囑)할 수 있다.
 1. 심신장애로 인하여 직무를 수행할 수 없게 된 경우
 2. 직무와 관련된 비위사실이 있는 경우
 3. 직무태만, 품위손상이나 그 밖의 사유로 인하여 위원으로 적합하지 아니하다고 인정되는 경우
 4. 위원 스스로 직무를 수행하는 것이 곤란하다고 의사를 밝히는 경우

⑧ 심의회는 재적위원 과반수의 출석으로 개의하고, 출석위원 과반수의 찬성으로 의결한다.

⑨ 심의회의 사무를 처리하기 위하여 간사 1명을 두며, 간사는 행정안전부 소속 공무원 중에서 의장이 지명한다.

⑩ 심의회는 심의의 전문성을 확보하기 위하여 필요한 경우에는 안전기준 분과위원회를 둘 수 있다.

⑪ 심의회의 회의에 출석한 위원에게는 예산의 범위에서 수당과 여비 등을 지급할 수 있다. 다만, 공무원인 위원이 그 업무와 관련하여 회의에 참석하는 경우에는 그러하지 아니하다.

⑫ 제1항부터 제11항까지에서 규정한 사항 외에 심의회의 운영과 안전기준 분과위원회의 구성·운영 등에 필요한 사항은 행정안전부장관이 정한다.

(8) 재난안전통신망의 구축 · 운영

① 행정안전부장관은 체계적인 재난관리를 위하여 재난안전통신망을 구축 · 운영하여야 하며, 재난관리책임기관 · 긴급구조기관 및 긴급구조지원기관(이하 이 조에서 "재난관련기관"이라 한다)은 재난관리에 재난안전통신망을 사용하여야 한다.

③ 재난안전통신망의 운영, 사용 등에 필요한 사항은 다른 법률로 정한다.

> **재난안전통신망법**
> [시행 2021. 12. 9.]

(9) 재난대비훈련 기본계획 수립

① 행정안전부장관은 매년 재난대비훈련 기본계획을 수립하고 재난관리책임기관의 장에게 통보하여야 한다.

② 재난관리책임기관의 장은 제1항의 재난대비훈련 기본계획에 따라 소관분야별로 자체계획을 수립하여야 한다.

③ 행정안전부장관은 제1항에 따라 수립한 재난대비훈련 기본계획을 국회 소관상임위원회에 보고하여야 한다.

(10) 재난대비훈련 실시

① 행정안전부장관, 중앙행정기관의 장, 시·도지사, 시장·군수·구청장 및 긴급구조기관(이하 이 조에서 "훈련주관기관"이라 한다)의 장은 대통령령으로 정하는 바에 따라 매년 정기적으로 또는 수시로 재난관리책임기관, 긴급구조지원기관 및 군부대 등 관계 기관(이하 이 조에서 "훈련참여기관"이라 한다)과 합동으로 재난대비훈련(제34조의5에 따른 위기관리 매뉴얼의 숙달훈련을 포함한다)을 실시하여야 한다.

② 훈련주관기관의 장은 제1항에 따른 재난대비훈련을 실시하려면 제34조의9제2항에 따른 자체계획을 토대로 재난대비훈련 실시계획을 수립하여 훈련참여기관의 장에게 통보하여야 한다.

③ 훈련참여기관의 장은 제1항에 따른 재난대비훈련을 실시하면 훈련상황을 점검하고, 그 결과를 대통령령으로 정하는 바에 따라 훈련주관기관의 장에게 제출하여야 한다.

④ 훈련주관기관의 장은 대통령령으로 정하는 바에 따라 다음 각 호의 조치를 하여야 한다.
1. 훈련참여기관의 훈련과정 및 훈련결과에 대한 점검·평가
2. 훈련참여기관의 장에게 훈련과정에서 나타난 미비사항이나 개선·보완이 필요한 사항에 대한 보완조치 요구
3. 훈련과정에서 나타난 제34조의5제1항 각 호의 위기관리 매뉴얼의 미비점에 대한 개선·보완 및 개선·보완조치 요구

⑤ 재난대비훈련의 효율적인 추진을 위한 절차·방법 등에 필요한 사항은 대통령령으로 정한다.

재난대비훈련 등

① 행정안전부장관, 중앙행정기관의 장, 시·도지사, 시장·군수·구청장 및 긴급구조기관의 장(이하 "훈련주관기관의 장"이라 한다)은 관계 기관과 합동으로 참여하는 재난대비훈련을 각각 소관 분야별로 주관하여 연 1회 이상 실시하여야 한다.

② 제1항에 따라 재난대비훈련에 참여하는 기관은 자체 훈련을 수시로 실시할 수 있다.

③ 훈련주관기관의 장은 재난대비훈련을 실시하는 경우에는 훈련일 15일 전까지 훈련일시, 훈련장소, 훈련내용, 훈련방법, 훈련참여 인력 및 장비, 그 밖에 훈련에 필요한 사항을 재난관리책임기관, 긴급구조지원기관 및 군부대 등 관계 기관(이하 "훈련참여기관"이라 한다)의 장에게 통보하여야 한다.

④ 훈련주관기관의 장은 재난대비훈련 수행에 필요한 능력을 기르기 위하여 제1항에 따른 재난대비훈련 참석자에게 재난대비훈련을 실시하기 전에 사전교육을 하여야 한다. 다만, 다른 법령에 따라 해당 분야의 재난대비훈련 교육을 받은 경우에는 이 영에 따른 교육을 받은 것으로 본다.

⑤ 훈련참여기관의 장은 법 제35조제3항에 따라 재난대비훈련 실시 후 10일 이내에 그 결과를 훈련주관기관의 장에게 제출하여야 한다.

⑥ 제1항에 따른 재난대비훈련에 참여하는 데에 필요한 비용은 참여 기관이 부담한다. 다만, 민간 긴급구조지원기관에 대해서는 훈련주관기관의 장이 부담할 수 있다.

재난대비훈련의 평가

① 훈련주관기관의 장은 다음 각 호의 평가항목 중 훈련 특성에 맞는 평가항

목을 선정하여 재난대비훈련평가(이하 "훈련평가"라 한다)를 실시하여야 한다.
 1. 분야별 전문인력 참여도 및 훈련목표 달성 정도
 2. 장비의 종류·기능 및 수량 등 동원 실태
 3. 유관기관과의 협력체제 구축 실태
 4. 긴급구조대응계획 및 세부대응계획에 의한 임무의 수행 능력
 5. 긴급구조기관 및 긴급구조지원기관 간의 지휘통신체계
 6. 긴급구조요원의 임무 수행의 전문성 수준
 7. 그 밖에 행정안전부장관이 정하는 평가에 필요한 사항

② 훈련주관기관의 장은 훈련평가의 결과를 훈련 종료일부터 30일 이내에 재난관리책임기관의 장 및 관계 긴급구조지원기관의 장에게 통보하고, 통보를 받은 재난관리책임기관의 장 및 긴급구조지원기관의 장은 평가 결과가 다음 훈련계획 수립 및 훈련을 실시하는 데 반영되도록 하는 등의 재난관리에 필요한 조치를 하여야 한다.

③ 행정안전부장관은 제1항에 따른 평가 결과 우수기관에 대해서는 포상 등 필요한 조치를 할 수 있다.

④ 행정안전부장관은 체계적이고 효율적인 훈련평가를 위하여 필요한 경우 민간전문가로 이루어진 평가단을 구성하여 운영할 수 있다.

6) 재난의 대응

제1절 응급조치 등

(1) 재난사태 선포

① 행정안전부장관은 대통령령으로 정하는 재난이 발생하거나 발생할 우려가 있는 경우 사람의 생명·신체 및 재산에 미치는 중대한 영향이나 피해를 줄이기 위하여 긴급한 조치가 필요하다고 인정하면 중앙위원회의 심의를 거쳐 재난사태를 선포할 수 있다. 다만, 행정안전부장관은 재난상황이 긴급하여 중앙위원회의 심의를 거칠 시간적 여유가 없다고 인정하는 경우에는 중앙위원회의 심의를 거치지 아니하고 재난사태를 선포할 수 있다.

> **재난사태의 선포대상 재난**
>
> "대통령령으로 정하는 재난"이란 재난 중 극심한 인명 또는 재산의 피해가 발생하거나 발생할 것으로 예상되어 시·도지사가 중앙대책본부장에게 재난사태의 선포를 건의하거나 중앙대책본부장이 재난사태의 선포가 필요하다고 인정하는 재난(「노동조합 및 노동관계조정법」제4장에 따른 쟁의행위로 인한 국가기반시설의 일시 정지는 제외한다)을 말한다.

② 행정안전부장관은 제1항 단서에 따라 재난사태를 선포한 경우에는 지체 없이 중앙위원회의 승인을 받아야 하고, 승인을 받지 못하면 선포된 재난사태를 즉시 해제하여야 한다.

③ 행정안전부장관 및 지방자치단체의 장은 제1항에 따라 재난사태가 선포된 지역에 대하여 다음 각 호의 조치를 할 수 있다.
1. 재난경보의 발령, 인력·장비 및 물자의 동원, 위험구역 설정, 대피명령, 응급지원 등 이 법에 따른 응급조치
2. 해당 지역에 소재하는 행정기관 소속 공무원의 비상소집
3. 해당 지역에 대한 여행 등 이동 자제 권고
4. 「유아교육법」 제31조, 「초·중등교육법」 제64조 및 「고등교육법」 제61조에 따른 휴업명령 및 휴원·휴교 처분의 요청
5. 그 밖에 재난예방에 필요한 조치

④ 행정안전부장관은 재난으로 인한 위험이 해소되었다고 인정하는 경우 또는 재난이 추가적으로 발생할 우려가 없어진 경우에는 선포된 재난사태를 즉시 해제하여야 한다.

(2) 응급조치

① 시·도긴급구조통제단 및 시·군·구긴급구조통제단의 단장(이하 "지역통제단장"이라 한다)과 시장·군수·구청장은 재난이 발생할 우려가 있거나 재난이 발생하였을 때에는 즉시 관계 법령이나 재난대응활동계획 및 위기관리 매뉴얼에서 정하는 바에 따라 수방(水防)·진화·구조 및 구난(救難), 그 밖에 재난 발생을 예방하거나 피해를 줄이기 위하여 필요한 다음 각 호의 응급조치를 하여야 한다. 다만, 지역통제단장의 경우에는 제2호 중 진화에 관한 응급조치와 제4호 및 제6호의 응급조치만 하여야 한다.
 1. 경보의 발령 또는 전달이나 피난의 권고 또는 지시

1의2. 제31조에 따른 안전조치

2. 진화·수방·지진방재, 그 밖의 응급조치와 구호

3. 피해시설의 응급복구 및 방역과 방범, 그 밖의 질서 유지

4. 긴급수송 및 구조 수단의 확보

5. 급수 수단의 확보, 긴급피난처 및 구호품의 확보

6. 현장지휘통신체계의 확보

7. 그 밖에 재난 발생을 예방하거나 줄이기 위하여 필요한 사항
   으로서 대통령령으로 정하는 사항

② 시·군·구의 관할 구역에 소재하는 재난관리책임기관의 장은 시장·군수·구청장이나 지역통제단장이 요청하면 관계 법령이나 시·군·구안전관리계획에서 정하는 바에 따라 시장·군수·구청장이나 지역통제단장의 지휘 또는 조정하에 그 소관 업무에 관계되는 응급조치를 실시하거나 시장·군수·구청장이나 지역통제단장이 실시하는 응급조치에 협력하여야 한다.

(3) 위기경보의 발령등

① 재난관리주관기관의 장은 대통령령으로 정하는 재난에 대한 징후를 식별하거나 재난발생이 예상되는 경우에는 그 위험 수준, 발생 가능성 등을 판단하여 그에 부합되는 조치를 할 수 있도록 위기경보를 발령할 수 있다. 다만, 제34조의5제1항제1호 단서의 상황인 경우에는 행정안전부장관이 위기경보를 발령할 수 있다.

> **위기경보의 발령대상 재난**
>
> 법 제38조제1항 본문에서 "대통령령으로 정하는 재난"이란 다음 각 호의 어느 하나에 해당하는 재난을 말한다.
> 1. 자연재난 및 사회재난
> 2. 그 밖에 인명 또는 재산의 피해 정도가 매우 크고 그 영향이 광범위할 것으로 예상되어 재난관리주관기관의 장이 위기경보의 발령이 필요하다고 인정하는 재난

② 제1항에 따른 위기경보는 재난 피해의 전개 속도, 확대 가능성 등 재난상황의 심각성을 종합적으로 고려하여 관심·주의·경계·심각으로 구분할 수 있다. 다만, 다른 법령에서 재난 위기경보의 발령 기준을 따로 정하고 있는 경우에는 그 기준을 따른다.

③ 재난관리주관기관의 장은 심각 경보를 발령 또는 해제할 경우에는 행정안전부장관과 사전에 협의하여야 한다. 다만, 긴급한 경우에 재난관리주관기관의 장은 우선 조치한 후 지체 없이 행정안전부장관과 협의하여야 한다.

④ 재난관리책임기관의 장은 제1항에 따른 위기경보가 신속하게 발령될 수 있도록 재난과 관련한 위험정보를 얻으면 즉시 행정안전부장관, 재난관리주관기관의 장, 시·도지사 및 시장·군수·구청장에게 통보하여야 한다.

(4) 재난 예보·경보체계 구축·운영 등

① 재난관리책임기관의 장은 사람의 생명·신체 및 재산에 대한 피해가 예상되면 그 피해를 예방하거나 줄이기 위하여 재난에 관한 예보 또는 경보 체계를 구축·운영할 수 있다.

② 재난관리책임기관의 장은 재난에 관한 예보 또는 경보가 신속하게 실시될 수 있도록 재난과 관련한 위험정보를 얻으면 즉시 행정안전부장관, 재난관리주관기관의 장, 시·도지사 및 시장·군수·구청장에게 통보하여야 한다.

③ 행정안전부장관, 시·도지사 또는 시장·군수·구청장은 재난에 관한 예보·경보·통지나 응급조치를 실시하기 위하여 필요하면 다음 각 호의 조치를 요청할 수 있다. 다만, 다른 법령에 특별한 규정이 있을 때에는 그러하지 아니하다.

1. 전기통신시설의 소유자 또는 관리자에 대한 전기통신시설의 우선 사용
2. 전기통신사업자 중 대통령령으로 정하는 주요 전기통신사업자에 대한 필요한 정보의 문자나 음성 송신 또는 인터넷 홈페이지 게시
3. 방송사업자에 대한 필요한 정보의 신속한 방송
4. 신문사업자 및 인터넷신문사업자 중 대통령령으로 정하는 주요 신문사업자 및 인터넷신문사업자에 대한 필요한 정보의 게재
5. 디지털광고물의 관리자에 대한 필요한 정보의 게재

④ 제3항에 따른 재난에 관한 예보·경보·통지 중 「지진·지진해일·화산의 관측 및 경보에 관한 법률」 제2조제1호부터 제3호까지에 따른 지진·지진해일·화산과 그 밖에 대통령령으로 정하는 자연재난에 대해서는 기상청장이 예보·경보·통지를 실시한다. 이 경우 기상청장은 제3항 각 호의 조치를 요청할 수 있다.

⑤ 제3항 및 제4항에 따른 요청을 받은 전기통신시설의 소유자 또는 관리자, 전기통신사업자, 방송사업자, 신문사업자, 인터넷신문사업자 및 디지털광고물 관리자는 정당한 사유가 없으면 요청에 따라야 한다.

⑥ 전기통신사업자나 방송사업자, 휴대전화 또는 내비게이션 제조업자는 제3항 및 제4항에 따른 재난의 예보·경보 실시 사항이 사용자의 휴대전화 등의 수신기 화면에 반드시 표시될 수 있도록 소프트웨어나 기계적 장치를 갖추어야 한다.

⑦ 시장·군수·구청장은 제41조에 따른 위험구역 및 「자연재해대책법」 제12조에 따른 자연재해위험개선지구 등 재난으로 인하여 사람의 생명·신체 및 재산에 대한 피해가 예상되는 지역에 대하여 그 피해를 예방하기 위하여 시·군·구 재난 예보·경보체계 구축 종합계획(이하 이 조에서 "시·군·구종합계획"이라 한다)을 5년 단위로 수립하여 시·도지사에게 제출하여야 한다.

⑧ 시·도지사는 제7항에 따른 시·군·구종합계획을 기초로 시·도 재난 예보·경보체계 구축 종합계획(이하 이 조에서 "시·도종합계획"이라 한다)을 수립하여 행정안전부장관에게 제출하여야 하며, 행정안전부장관은 필요한 경우 시·도지사에게 시·도종합계획의 보완을 요청할 수 있다.

⑨ 시·도종합계획과 시·군·구종합계획에는 다음 각 호의 사항이 포함되어야 한다.
1. 재난 예보·경보체계의 구축에 관한 기본방침
2. 재난 예보·경보체계 구축 종합계획 수립 대상지역의 선정에 관한 사항
3. 종합적인 재난 예보·경보체계의 구축과 운영에 관한 사항
4. 그 밖에 재난으로부터 인명 피해와 재산 피해를 예방하기 위하여 필요한 사항

⑩ 시·도지사와 시장·군수·구청장은 각각 시·도종합계획과 시·군·구종합계획에 대한 사업시행계획을 매년 수립하여 행정안전부장관에게 제출하여야 한다.

⑪ 시·도지사와 시장·군수·구청장이 각각 시·도종합계획과 시·군·구종합계획을 변경하려는 경우에는 제7항과 제8항을 준용한다.

⑫ 제3항 및 제4항에 따른 요청의 절차, 시·도종합계획, 시·군·구종합계획 및 사업시행계획의 수립 등에 필요한 사항은 대통령령으로 정한다.

방송요청사항

 중앙대책본부장 및 지역대책본부장은 방송사업자에게 방송을 요청하는 경우
에는 다음 각 호의 사항을 분명하게 밝혀야 한다.
1. 기상상황
2. 재난 예보·경보 및 재난 상황
3. 피해를 줄이기 위하여 조치하여야 하는 사항
4. 국민 또는 주민의 협조 사항
5. 재난유형별 국민행동 요령
6. 그 밖에 피해를 예방하거나 경감하기 위하여 필요한 사항

재난 예보·경보체계 구축 종합계획의 수립 등에 관한 사항

① 시·도지사 및 시장·군수·구청장은 시·군·구 재난 예보·경보체계 구축 종합
계획(이하 "시·군·구종합계획"이라 한다) 또는 시·도 재난 예보·경보체계 구축 종
합계획(이하 "시·도종합계획"이라 한다)을 수립할 때에는 다음 각 호의 사항을 중점적
으로 검토하여 해당 계획에 반영하여야 한다.
1. 종합계획의 타당성
2. 재원확보 방안
3. 민방위시설 등 다른 사업과의 중복 또는 연계성 여부
4. 사업의 수혜도 등 평가 분석
5. 지역주민의 의견수렴 결과
6. 대피계획 등과 연계한 재해 예방활동
7. 그 밖에 여건변동 등의 반영여부

② 행정안전부장관은 시·도종합계획, 시·군·구종합계획의 수립을 위하여
필요한 지침 및 기준을 정하여 시·도지사 또는 시장·군수·구청장에게 통
보할 수 있다.

재난 예보·경보체계 구축 사업시행계획의 수립 등에 관한 사항

① 시·도종합계획에 대한 재난 예보·경보체계 구축 사업시행계획(이하 "시
·도사업시행계획"이라 한다)과 시·군·구종합계획에 대한 재난 예보·경보

체계 구축 사업시행계획(이하 "시·군·구사업시행계획"이라 한다)에는 다음 각 호의 사항이 포함되어야 한다.

1. 사업의 필요성
2. 사업의 효과
3. 사업의 시행 기간
4. 사업비 조달계획
5. 재난 예보·경보체계 구축 대상지역을 관할하는 지방자치단체의 재정 현황

② 시·도지사 및 시장·군수·구청장은 제1항에 따라 시·도사업시행계획과 시·군·구사업시행계획을 수립할 때에는 다음 각 호의 사항을 중점적으로 검토하여 해당 계획에 반영하여야 한다.

1. 재난 예보·경보체계 구축 종합계획에 부합하는지 여부
2. 사업의 타당성
3. 사업비 확보 방안
4. 다른 사업과의 중복 또는 연계성 여부
5. 사업의 효과 분석
6. 지역주민의 의견수렴 결과

③ 행정안전부장관은 재난 예보·경보체계 구축 사업시행계획의 수립을 위하여 필요한 지침 및 기준을 정하여 시·도지사 또는 시장·군수·구청장에게 통보할 수 있다.

(5) 동원명령

① 중앙대책본부장과 시장·군수·구청장(시·군·구대책본부가 운영되는 경우에는 해당 본부장을 말한다. 이하 제40조부터 제45조까지에서 같다)은 재난이 발생하거나 발생할 우려가 있다고 인정하면 다음 각 호의 조치를 할 수 있다.
1. 「민방위기본법」 제26조에 따른 민방위대의 동원
2. 응급조치를 위하여 재난관리책임기관의 장에 대한 관계 직원의 출동 또는 재난관리자원의 동원 등 필요한 조치의 요청
3. 동원 가능한 재난관리자원 등이 부족한 경우에는 국방부장관에 대한 군부대의 지원 요청

② 제1항에 따라 필요한 조치의 요청을 받은 기관의 장은 특별한 사유가 없으면 요청에 따라야 한다.

(6) 대피명령

① 시장·군수·구청장과 지역통제단장(대통령령으로 정하는 권한을 행사하는 경우에만 해당한다. 이하 이 조에서 같다)은 재난이 발생하거나 발생할 우려가 있는 경우에 사람의 생명 또는 신체나 재산에 대한 위해를 방지하기 위하여 필요하면 해당 지역 주민이나 그 지역 안에 있는 사람에게 대피하도록 명하거나 선박·자동차 등을 그 소유자·관리자 또는 점유자에게 대피시킬 것을 명할 수 있다. 이 경우 미리 대피장소를 지정할 수 있다.

② 제1항에 따른 대피명령을 받은 경우에는 즉시 명령에 따라야 한다

(7)위험구역의 설정

① 시장·군수·구청장과 지역통제단장은 재난이 발생하거나 발생할 우려가 있는 경우에 사람의 생명 또는 신체에 대한 위해 방지나 질서의 유지를 위하여 필요하면 위험구역을 설정하고, 응급조치에 종사하지 아니하는 사람에게 다음 각 호의 조치를 명할 수 있다.
 1. 위험구역에 출입하는 행위나 그 밖의 행위의 금지 또는 제한
 2. 위험구역에서의 퇴거 또는 대피

② 시장·군수·구청장과 지역통제단장은 제1항에 따라 위험구역을 설정할 때에는 그 구역의 범위와 제1항제1호에 따라 금지되거나 제한되는 행위의 내용, 그 밖에 필요한 사항을 보기 쉬운 곳에 게시하여야 한다.

③ 관계 중앙행정기관의 장은 재난이 발생하거나 발생할 우려가 있는 경우로서 사람의 생명 또는 신체에 대한 위해 방지나 질서의 유지를 위하여 필요하다고 인정되는 경우에는 시장·군수·구청장과 지역통제단장에게 위험구역의 설정을 요청할 수 있다.

(8) 강제대피조치

①시장·군수·구청장과 지역통제단장(대통령령으로 정하는 권한을 행사하는 경우에만 해당한다. 이하 이 조에서 같다)은 제40조제1항에 따른 대피명령을 받은 사람 또는 제41조제1항제2호에 따른 위험구역에서의 퇴거나 대피명령을 받은 사람이 그 명령을 이행하지 아니하여 위급하다고 판단되면 그 지역 또는 위험구역 안의 주민이나 그 안에 있는 사람을 강제로 대피 또는 퇴거시키거나 선박·자동차 등을 견인시킬 수 있다.

② 시장·군수·구청장 및 지역통제단장은 제1항에 따라 주민 등을 강제로 대피 또는 퇴거시키기 위하여 필요하다고 인정하면 관할 경찰관서의 장에게 필요한 인력 및 장비의 지원을 요청할 수 있다.

강제대피 또는 강제퇴거 시 지원요청

 시장·군수·구청장 및 지역통제단장은 법 제42조제2항에 따라 지원을 요청하려는 경우에는 요청내용과 요청사유를 적은 서면으로 하여야 한다. 다만, 긴급한 경우에는 구두로 요청할 수 있다.

---

③ 제2항에 따른 요청을 받은 경찰관서의 장은 특별한 사유가 없는 한 이에 응하여야 한다.

(9)통행제한 등

① 시장·군수·구청장과 지역통제단장은 응급조치에 필요한 물자를 긴급히 수송하거나 진화·구조 등을 하기 위하여 필요하면 대통령령으로 정하는 바에 따라 경찰관서의 장에게 도로의 구간을 지정하여 해당 긴급수송 등을 하는 차량 외의 차량의 통행을 금지하거나 제한하도록 요청할 수 있다.

> **통행제한 등의 절차**
>
> ① 법 제43조제1항에 따라 시장·군수·구청장 및 지역통제단장은 경찰관서의 장에게 차량의 통행을 금지하거나 제한하도록 요청하는 경우에는 그 금지 또는 제한의 대상 구간 및 기간을 분명하게 밝혀야 한다.
> ② 제1항에 따른 요청을 받은 경찰관서의 장은 차량 통행의 금지 또는 제한 조치 결과를 관할 시장·군수·구청장 및 지역통제단장에게 통보하여야 한다

② 제1항에 따른 요청을 받은 경찰관서의 장은 특별한 사유가 없으면 요청에 따라야 한다.

(10) 응원

① 시장·군수·구청장은 응급조치를 하기 위하여 필요하면 다른 시·군·구나 관할 구역에 있는 군부대 및 관계 행정기관의 장, 그 밖의 민간기관·단체의 장에게 인력·장비·자재 등 필요한 응원(應援)을 요청할 수 있다. 이 경우 응원을 요청받은 군부대의 장과 관계 행정기관의 장은 특별한 사유가 없으면 요청에 따라야 한다.

② 제1항에 따라 응원에 종사하는 사람은 그 응원을 요청한 시장·군수·구청장의 지휘에 따라 응급조치에 종사하여야 한다.

재난관리자원의 응원요청 및 조정

① 재난수습을 위하여 인력·장비·자재 등의 응원(應援)을 요청하는 경우에는 문서로 하여야 한다. 다만, 긴급한 응급조치를 위하여 불가피한 경우에는 말로 요청한 후 사후에 문서로 통보할 수 있다.

② 재난관리자원공동활용시스템을 통하여 전자적인 방법으로 응원을 요청한 경우에는 제1항에 따른 문서에 의한 것으로 본다.

③ 제1항과 제2항에 따라 응원 요청을 받은 기관의 장 또는 사람은 지체 없이 동의 여부를 알려 주어야 한다.

④ 행정안전부장관 또는 시·도지사는 원활한 응원을 위하여 재난관리책임기관의 장에게 직접 응원을 요청할 수 있다. 이 경우 응원 요청을 받은 재난관리책임기관의 장은 특별한 사유가 없으면 이에 협력하여야 한다

---

(11) 응급부담

시장·군수·구청장과 지역통제단장(대통령령으로 정하는 권한을 행사하는 경우에만 해당한다)은 그 관할 구역에서 재난이 발생하거나 발생할 우려가 있어 응급조치를 하여야 할 급박한 사정이 있으면 해당 재난현장에 있는 사람이나 인근에 거주하는 사람에게 응급조치에 종사하게 하거나 대통령령으로 정하는 바에 따라 다른 사람의 토지·건축물·인공구조물, 그 밖의 소유물을 일시 사용할 수 있으며, 장애물을 변경하거나 제거할 수 있다.

응급부담의 절차

① 시장·군수·구청장 및 지역통제단장은 법 제45조에 따라 응급조치 종사 명령을 할 때에는 그 대상자에게 행정안전부령으로 정하는 바에 따라 응급조치종사명령서를 발급하여야 한다. 다만, 긴급한 경우에는 구두로 응급조치 종사를 명한 후 행정안전부령으로 정하는 바에 따라 응급조치종사명령에 따른 사람에게 응급조치종사확인서를 발급하여야 한다.

② 시장·군수·구청장 및 지역통제단장은 법 제45조에 따라 다른 사람의 토지·건축물·공작물, 그 밖의 소유물을 일시 사용하거나 장애물을 변경 또는 제거할 때에는 행정안전부령으로 정하는 바에 따라 그 관계인에게 응급부담의 목적·기간·대상 및 내용 등을 분명하게 적은 응급부담명령서를 발급하여야 한다. 다만, 긴급한 경우에는 구두로 응급부담을 명한 후 행정안전부령으로 정하는 바에 따라 관계인에게 응급부담확인서를 발급하여야 한다.

③ 제2항 본문에 따른 응급부담명령서를 발급할 대상자를 알 수 없거나 그 소재지를 알 수 없을 때에는 이를 해당 시·군·구의 게시판에 15일 이상 게시하여야 한다.

④ 제2항 단서에 따라 구두로 응급부담을 명할 대상자가 없거나 그 소재지를 알 수 없을 때에는 응급부담조치를 한 후 그 사실을 해당 시·군·구의 게시판에 15일 이상 게시하여야 한다.

(12) 시·도지사가 실시하는 응급조치 등

① 시·도지사는 다음 각 호의 경우에는 제39조부터 제45조까지의 규정(동원명령, 대피명령, 위험구역의 설정, 강제대피조치, 통행제한등, 응원, 응급부담)에 따른 응급조치를 할 수 있다.
 1. 관할 구역에서 재난이 발생하거나 발생할 우려가 있는 경우로서 대통령령으로 정하는 경우
 2. 둘 이상의 시·군·구에 걸쳐 재난이 발생하거나 발생할 우

려가 있는 경우

> **시·도지사가 응급조치를 할 수 있는 경우**
>
> 법 제46조제1항제1호에서 "대통령령으로 정하는 경우"란 인명 또는 재산의 피해정도가 매우 크고 그 영향이 광범위하거나 광범위할 것으로 예상되어 시·도지사가 응급조치가 필요하다고 인정하는 경우를 말한다.

② 시·도지사는 제1항에 따른 응급조치를 하기 위하여 필요하면 이 절에 따라 응급조치를 하여야 할 시장·군수·구청장에게 필요한 지시를 하거나 다른 시·도지사 및 시장·군수·구청장에게 응원을 요청할 수 있다.

(13) 재난관리책임기관의 장의 응급조치

재난관리책임기관의 장은 재난이 발생하거나 발생할 우려가 있으면 즉시 그 소관 업무에 관하여 필요한 응급조치를 하고, 이 절에 따라 시·도지사, 시장·군수·구청장 또는 지역통제단장이 실시하는 응급조치가 원활히 수행될 수 있도록 필요한 협조를 하여야 한다.

(14) 지역통제단장의 응급조치 등

① 지역통제단장은 긴급구조를 위하여 필요하면 중앙대책본부장, 시·도지사(시·도대책본부가 운영되는 경우에는 해당 본부장을 말한다. 이하 이 조에서 같다) 또는 시장·군수·구청장(시·군·구대책본부가 운영되는 경우에는 해당 본부장을 말한다. 이하 이 조에서 같다)에게 제37조, 제38조의2, 제39조 및 제44조에 따른 응급대책을 요청할 수 있고, 중앙대책본부장, 시·도지사 또는 시장·군수·구청장은 특별한 사유가 없으면 요청에 따라야 한다.

제37조(응급조치)
1. 경보의 발령 또는 전달이나 피난의 권고 또는 지시
1의2. 제31조에 따른 안전조치
2. 진화·수방·지진방재, 그 밖의 응급조치와 구호
3. 피해시설의 응급복구 및 방역과 방범, 그 밖의 질서 유지
4. 긴급수송 및 구조 수단의 확보
5. 급수 수단의 확보, 긴급피난처 및 구호품의 확보
6. 현장지휘통신체계의 확보
7. 그 밖에 재난 발생을 예방하거나 줄이기 위하여 필요한 사항으로서 대통령령으로 정하는 사항

38조의2(재난 예보·경보체계 구축·운영 등)

제39조(동원명령 등)

제44조(응원)

---

② 지역통제단장은 제37조에 따른 응급조치 및 제40조부터 제43조까지와 제45조에 따른 응급대책을 실시하였을 때에는 이를 즉시 해당 시장·군수·구청장에게 통보하여야 한다. 다만, 인명구조 및 응급조치 등 긴급한 대응이 필요한 경우에는 우선 조치한 후에 통보할 수 있다.

제37조(응급조치)
1. 경보의 발령 또는 전달이나 피난의 권고 또는 지시
1의2. 제31조에 따른 안전조치
2. 진화·수방·지진방재, 그 밖의 응급조치와 구호
3. 피해시설의 응급복구 및 방역과 방범, 그 밖의 질서 유지
4. 긴급수송 및 구조 수단의 확보
5. 급수 수단의 확보, 긴급피난처 및 구호품의 확보
6. 현장지휘통신체계의 확보
7. 그 밖에 재난 발생을 예방하거나 줄이기 위하여 필요한 사항으로서 대통령령으로 정하는 사항
제40조(대피명령) / 제41조(위험구역의 설정) / 제42조(강제대피조치)
제43조(통행제한 등) / 제45조(응급부담)

제2절 긴급구조

(1) 중앙긴급구조통제단

① 긴급구조에 관한 사항의 총괄·조정, 긴급구조기관 및 긴급구조지원기관이 하는 긴급구조활동의 역할 분담과 지휘·통제를 위하여 소방청에 중앙긴급구조통제단(이하 "중앙통제단"이라 한다)을 둔다.

② 중앙통제단의 단장은 소방청장이 된다.

③ 중앙통제단장은 긴급구조를 위하여 필요하면 긴급구조지원기관 간의 공조체제를 유지하기 위하여 관계 기관·단체의 장에게 소속 직원의 파견을 요청할 수 있다. 이 경우 요청을 받은 기관·단체의 장은 특별한 사유가 없으면 요청에 따라야 한다.

④ 중앙통제단의 구성·기능 및 운영에 필요한 사항은 대통령령으로 정한다.

중앙통제단의 기능

중앙통제단은 다음 각 호의 기능을 수행한다.
1. 국가 긴급구조대책의 총괄·조정
2. 긴급구조활동의 지휘·통제
3. 긴급구조지원기관간의 역할분담 등 긴급구조를 위한 현장활동계획의 수립
4. 긴급구조대응계획의 집행
5. 그 밖에 중앙통제단의 장(이하 "중앙통제단장"이라 한다)이 필요하다고 인정하는 사항

중앙통제단의 구성 및 운영

① 중앙통제단장은 중앙통제단을 대표하고, 그 업무를 총괄한다.
② 중앙통제단에는 부단장을 두고 부단장은 중앙통제단장을 보좌하며 중앙통제단장이 부득이한 사유로 직무를 수행할 수 없을 경우에는 그 직무를 대행한다.
③ 제2항에 따른 부단장은 소방청 차장이 되며, 중앙통제단에는 대응계획부·현장지휘부 및 자원지원부를 둔다.
④ 제1항부터 제3항까지에서 규정한 사항 외에 중앙통제단의 구성 및 운영에 필요한 사항은 행정안전부령으로 정한다

<긴급구조대응활동 및 현장지휘에 관한 규칙>
중앙통제단의 구성
① 중앙긴급구조통제단(이하 "중앙통제단"이라 한다)을 구성하는 경우에는 별표 3에 따른다.

■ 긴급구조대응활동 및 현장지휘에 관한 규칙 [별표 3] <개정 2024. 1. 22.>

<u>중앙통제단의 구성(제12조제1항 관련)</u>

1. 중앙통제단 조직도

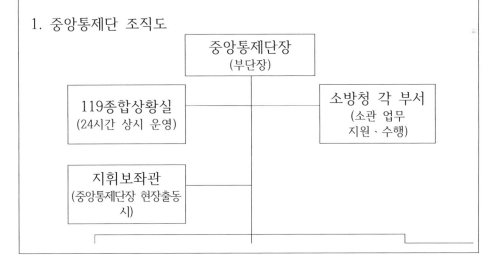

대응계획부	현장지휘부	자원지원부
통합 지휘·조정 상황 분석·보고 작전계획 수립 연락관 소집·파견 공보 지원기관 연락관	위험진압 수색구조 응급의료 항공·현장통제 안전관리 자원대기소 운영	물품·급식지원 회복지원 장비관리 자원집결지 운영 긴급복구지원 오염방제지원

2. 부서별 임무

부서별		임무
중앙통제단장		가. 긴급구조활동의 총괄 지휘·조정·통제 나. 정부차원의 긴급구조대응계획의 가동
119종합상황실		가. 중앙통제단 지원기능 수행 나. 긴급구조대응계획 중 기능별 긴급구조대응계획 가동지원 다. 중앙재난안전대책본부 등 유관기관 등에 상황 전파 라. 대응계획부(공보)와 공동으로 긴급대피, 상황전파, 비상연락 등 실시
소방청 각 부서		가. 부서별 긴급구조대응계획 중 기능별 긴급구조대응계획 가동지원 나. 각 소속 기관·단체에 분담된 임무연락 및 이행 완료 여부 보고
지휘보좌관		가. 중앙통제단장 보좌 나. 그 밖의 중앙통제단장 지원활동
대응계획부	통합지휘·조정	가. 긴급구조체제 및 중앙통제단 운영체계 가동 나. 시·도 소방본부 및 권역별 긴급구조지휘대 자원의 지휘·조정·통제

	상황분석 ·보고	가. 재난상황 정보 종합 분석·보고 나. 중앙재난안전대책본부 등 유관기관 등에 상황 보고
	작전계획 수립	시·도긴급구조통제단 대응계획부의 작전계획 수립·지원
	연락관 소집·파견	가. 지원기관 연락관 소집 나. 현장상황관리관 파견 다. 지원기관 지원·협력에 관한 사항
	공보	가. 긴급 공공정보 제공과 재난상황 등에 관한 정보 등 비상방송시스템 가동 나. 대중매체 홍보에 관한 사항 다. 119종합상황실과 공동으로 긴급대피, 상황전파, 비상연락 등 실시
	지원기관 연락관	가. 중앙통제단과 공동으로 지원기관의 긴급구조지원활동 조정·통제 나. 대규모 재난 및 광범위한 지역에 걸친 재난발생 시 탐색구조 활동(국방부), 현장통제(경찰청), 응급의료(보건복지부) 지원 등
현장지휘부	위험진압	정부차원의 화재 등 위험진압 지원
	수색구조	정부차원의 수색 및 인명구조 등 지원
	응급의료	가. 정부차원의 응급의료자원 지원활동 나. 정부차원의 재난의료체계 가동 다. 시·도 응급의료 자원의 지휘·조정·통제

	항공
	·현장통제
		가. 헬기 등 현장활동 지휘·조정·통제
		나. 응급환자 원거리 항공이송 지휘·조
		   정·통제
		다. 정부차원의 대규모 대피계획 지원
		라. 지방 경찰관서 현장통제자원의 지휘
		   ·조정·통제

	안전관리	시·도긴급구조통제단의 안전관리 지원
	자원대기소 운영	시·도긴급구조통제단의 자원대기소 운 영 지원
자원지원부	물품 ·급식지원	정부차원의 물품·급식 지원
	회복지원	정부차원의 긴급 구호 활동 및 회복 지 원
	장비관리	가. 정부차원의 장비·시설 지원 나. 정부차원의 재난통신지원 활동 다. 시·도긴급구조통제단 기술정보 지 원
	자원집결지 운영	소방청 자원관리시스템을 통한 시·도 긴급구조통제단 자원집결지 요구사항 지원
	긴급복구지 원	가. 정부차원의 긴급시설복구 지원활동 나. 다른 지역 자원봉사자의 재난현장 집단수송 지원
	오염 ·방제지원	정부차원의 긴급오염·통제·방제 지원 활동

비고

    1. 중앙통제단 조직은 재난상황에 따라 확대 또는 축소하여 운영
       할 수 있다.

    2. 부서별 임무는 예시로서, 재난상황에 따라 임무를 선택하거나
       새로운 임무를 추가할 수 있다.

② 긴급구조지원기관의 장은 중앙통제단장이 법 제49조제3항에 따라 파견을 요청하는 경우에는 중앙통제단 대응계획부에 상시연락관을 파견해야 한다.

③제1항 및 제2항에서 규정한 사항 외에 중앙통제단의 구성 및 운영에 관한 세부사항은 긴급구조대응계획이 정하는 바에 따른다.

통제단의 구성 및 운영기준

  통제단장은 다음 각 호의 어느 하나에 해당하는 경우에는 영 제55조제4항 또는 영 제57조에 따라 중앙통제단 또는 지역통제단(이하 "통제단"이라 한다)을 구성하여 운영해야 한다.
1. 영 제63조제1항제2호 각 목(기능별 긴급구조대응계획)의 어느 하나에 해당하는 기능의 수행이 필요한 경우
2. 긴급구조관련기관의 인력 및 장비의 동원이 필요하고, 동원된 자원 및 그 활동을 통합하여 지휘·조정·통제할 필요가 있는 경우
3. 그 밖에 통제단장이 재난의 종류·규모 및 피해상황 등을 종합적으로 고려하여 통제단의 운영이 필요하다고 인정하는 경우

(2) 지역긴급구조통제단

① 지역별 긴급구조에 관한 사항의 총괄·조정, 해당 지역에 소재하는 긴급구조기관 및 긴급구조지원기관 간의 역할분담과 재난현장에서의 지휘·통제를 위하여 시·도의 소방본부에 시·도긴급구조통제단을 두고, 시·군·구의 소방서에 시·군·구긴급구조통제단을 둔다.

② 시·도긴급구조통제단과 시·군·구긴급구조통제단(이하 "지역통제단"이라 한다)에는 각각 단장 1명을 두되, 시·도긴급구조통제단의 단장은 소방본부장이 되고 시·군·구긴급구조통제단의 단장은 소방서장이 된다.

③ 지역통제단장은 긴급구조를 위하여 필요하면 긴급구조지원기관 간의 공조체제를 유지하기 위하여 관계 기관·단체의 장에게 소속 직원의 파견을 요청할 수 있다. 이 경우 요청을 받은 기관·단체의 장은 특별한 사유가 없으면 요청에 따라야 한다.

④ 지역통제단의 기능과 운영에 관한 사항은 대통령령으로 정한다.

(3) 긴급구조

① 지역통제단장은 재난이 발생하면 소속 긴급구조요원을 재난현장에 신속히 출동시켜 필요한 긴급구조활동을 하게 하여야 한다.

② 지역통제단장은 긴급구조를 위하여 필요하면 긴급구조지원기관의 장에게 소속 긴급구조지원요원을 현장에 출동시키거나 긴급구조에 필요한 재난관리자원을 지원하는 등 긴급구조활동을 지원할 것을 요청할 수 있다. 이 경우 요청을 받은 기관의 장은 특별한 사유가 없으면 즉시 요청에 따라야 한다.

③ 제2항에 따른 요청에 따라 긴급구조활동에 참여한 민간 긴급구조지원기관에 대하여는 대통령령으로 정하는 바에 따라 그 경비의 전부 또는 일부를 지원할 수 있다.

민간 긴급구조지원기관에 대한 지원 등

① 긴급구조활동에 참여한 민간 긴급구조지원기관에 지원하는 경비는 긴급구조 참여자의 수, 동원장비 및 사용물품 등 긴급구조활동에 필요한 인적·물적 요소를 기준으로 지역통제단장이 정한다.

② 경비 지원을 받으려는 민간 긴급구조지원기관은 <u>행정안전부령</u>으로 정하는 바에 따라 지역통제단장에게 지원금의 지급신청을 하여야 한다.

③ 제2항에 따라 지원금의 지급신청을 받은 지역통제단장은 긴급구조활동에 대한 지원 사실을 확인한 후 예산의 범위에서 지원금의 전부 또는 일부를 지원한다.

④ 지역통제단장은 긴급구조활동에 참여하는 민간 긴급구조지원기관에 대하

> 여 다음 각 호의 어느 하나에 해당하는 지원을 할 수 있다.
> 1. 긴급구조활동에 필요한 인력 및 장비의 지원
> 2. 긴급구조활동의 전문성 향상을 위한 교육 및 훈련 장소의 지원
> 3. 그 밖에 긴급구조능력 향상을 위한 홍보·세미나 등의 행사지원

④ 긴급구조활동을 하기 위하여 회전익항공기(이하 이 항에서 "헬기"라 한다)를 운항할 필요가 있으면 긴급구조기관의 장이 헬기의 운항과 관련되는 사항을 헬기운항통제기관에 통보하고 헬기를 운항할 수 있다. 이 경우 관계 법령에 따라 해당 헬기의 운항이 승인된 것으로 본다.

④ 긴급구조활동을 하기 위하여 회전익항공기(이하 이 항에서 "헬기"라 한다)를 운항할 필요가 있으면 긴급구조기관의 장이 헬기의 운항과 관련되는 사항을 헬기운항통제기관에 통보하고 헬기를 운항할 수 있다. 이 경우 관계 법령에 따라 해당 헬기의 운항이 승인된 것으로 본다.

(4) 긴급구조 현장지휘

① 재난현장에서는 시·군·구긴급구조통제단장이 긴급구조활동을 지휘한다. 다만, 치안활동과 관련된 사항은 관할 경찰관서의 장과 협의하여야 한다.

② 제1항에 따른 현장지휘는 다음 각 호의 사항에 관하여 한다.
1. 재난현장에서 인명의 탐색·구조
2. 긴급구조기관 및 긴급구조지원기관의 긴급구조요원·긴급구조지원요원 및 재난관리자원의 배치와 운용
3. 추가 재난의 방지를 위한 응급조치
4. 긴급구조지원기관 및 자원봉사자 등에 대한 임무의 부여
5. 사상자의 응급처치 및 의료기관으로의 이송
6. 긴급구조에 필요한 재난관리자원의 관리
7. 현장접근 통제, 현장 주변의 교통정리, 그 밖에 긴급구조활동을 효율적으로 하기 위하여 필요한 사항

③ 시·도긴급구조통제단장은 필요하다고 인정하면 제1항에도 불구하고 직접 현장지휘를 할 수 있다.

④ 중앙통제단장은 대통령령으로 정하는 대규모 재난이 발생하거나 그 밖에 필요하다고 인정하면 제1항 및 제3항에도 불구하고 직접 현장지휘를 할 수 있다.

⑤ 재난현장에서 긴급구조활동을 하는 긴급구조요원과 긴급구조지원기관의 긴급구조지원요원 및 재난관리자원에 대한 운용은 제1항·제3항 및 제4항에 따라 현장지휘를 하는 긴급구조통제단장(이하 "각급통제단장"이라 한다)의 지휘·통제에 따라야 한다.

⑥ 제16조제2항에 따른 지역대책본부장은 각급통제단장이 수행하는 긴급구조활동에 적극 협력하여야 한다.

⑦ 시·군·구긴급구조통제단장은 제16조제3항에 따라 설치·운영하는 통합지원본부의 장에게 긴급구조에 필요한 인력이나 물자 등의 지원을 요청할 수 있다. 이 경우 요청받은 기관의 장은 최대한 협조하여야 한다.

⑧ 재난현장의 구조활동 등 초동 조치상황에 대한 언론 발표 등은 각급통제단장이 지명하는 자가 한다.

⑨ 각급통제단장은 재난현장의 긴급구조 등 현장지휘를 효과적으로 하기 위하여 재난현장에 현장지휘소를 설치·운영할 수 있다. 이 경우 긴급구조활동에 참여하는 긴급구조지원기관의 현장지휘자는 현장지휘소에 대통령령으로 정하는 바에 따라 연락관을 파견하여야 한다.

현장지휘소에 파견하는 연락관

　법 제52조제9항 후단에 따라 현장지휘소에 파견하는 연락관은 긴급구조지원기관의 공무원 또는 직원으로서 재난 관련 업무 실무책임자로 한다.

---

⑩ 각급통제단장은 긴급구조 활동을 종료하려는 때에는 재난현장에 참여한 지역사고수습본부장, 통합지원본부의 장 등과 협의를 거쳐 결정하여야 한다. 이 경우 각급통제단장은 긴급구조 활동 종료 사실을 지역대책본부장 및 제5항에 따른 긴급구조지원기관의 장에게 통보하여야 한다.

⑪ 해양에서 발생한 재난의 긴급구조활동에 관하여는 제1항부터 제10항까지의 규정을 준용한다. 이 경우 시·군·구긴급구조통제단장, 시·도긴급구조통제단장, 중앙긴급구조통제단장은 「수상에서의 수색·구조 등에 관한 법률」 제7조에 따른 지역구조본부의 장, 광역구조본부의 장, 중앙구조본부의 장으로 각각 본다.

수상에서의 수색·구조 등에 관한 법률 (약칭: 수상구조법)

제5조(중앙구조본부 등의 설치)
① 해수면에서의 수난구호에 관한 사항의 총괄·조정, 수난구호협력기관과 수난구호민간단체 등이 행하는 수난구호활동의 역할조정과 지휘·통제 및 수난구호활동의 국제적인 협력을 위하여 해양경찰청에 중앙구조본부를 둔다.
(중앙구조본부장 : 해양경찰청장)
② 해역별 수난구호에 관한 사항의 총괄·조정, 해당 지역에 소재하는 수난구호협력기관과 수난구호민간단체 등이 행하는 수난구호활동의 역할조정과 지휘·통제 및 수난현장에서의 지휘·통제를 위하여 지방해양경찰청에 광역구조본부를 두고, 해양경찰서에 지역구조본부를 둔다.

제7조(구조대 및 구급대의 편성·운영)
① 중앙구조본부의 장, 광역구조본부의 장 및 지역구조본부의 장(이하 "구조본부의 장"이라 한다)은 해수면에서 수난구호를 효율적으로 수행하기 위하여 구조대를 편성·운영하고, 해수면과 연육로로 연결되지 아니한 도서(소방관서가 설치된 도서는 제외한다)에서 발생하는 응급환자를 응급처치하거나 의료기관에 긴급히 이송하기 위하여 구급대를 편성·운영하여야 한다.
② 소방청장, 소방본부장 및 소방서장(이하 "소방관서의 장"이라 한다)은 내수면에서의 수난구호를 위하여 구조대를 편성·운영하고, 내수면에서 발생하는 응급환자를 응급처치하거나 의료기관에 긴급히 이송하기 위하여 구급대를 편성·운영하여야 한다.

(5) 긴급대응협력관

긴급구조기관의 장은 긴급구조지원기관의 장에게 다음 각 호의 업무를 수행하는 긴급대응협력관을 대통령령으로 정하는 바에 따라 지정·운영하게 할 수 있다.

1. 평상시 해당 긴급구조지원기관의 긴급구조대응계획 수립 및 재난관리자원의 관리
2. 재난대응업무의 상호 협조 및 재난현장 지원업무 총괄

긴급대응협력관의 지정·운영

① 긴급구조기관의 장은 긴급구조지원기관의 장으로 하여금 같은 조에 따른 긴급대응협력관(이하 "긴급대응협력관"이라 한다)을 지정·운영하게 하려는 경우에는 긴급구조지원기관의 장에게 사전에 문서로 요청하여야 한다.

② 제1항에 따른 요청을 받은 긴급구조지원기관의 장은 법 제52조의2 각 호의 업무와 관련된 부서의 실무책임자를 긴급대응협력관으로 지정하여야 한다.

③ 긴급구조지원기관의 장은 긴급대응협력관을 지정하였거나 지정 변경 또는 해제하였을 때에는 그 사실이 있는 날부터 30일 이내에 해당 긴급구조기관의 장에게 통보하여야 한다.

④ 제1항부터 제3항까지에서 규정한 사항 외에 긴급대응협력관의 지정·운영에 필요한 사항은 소방청장이 정하여 고시한다.

---

(6) 긴급구조활동에 대한 평가

① 중앙통제단장과 지역통제단장은 재난상황이 끝난 후 대통령령으로 정하는 바에 따라 긴급구조지원기관의 활동에 대하여 종합평가를 하여야 한다.

② 제1항에 따른 종합평가결과는 시·군·구긴급구조통제단장은 시·도긴급구조통제단장 및 시장·군수·구청장에게, 시·도긴급구조통제단장은 소방청장에게 보고하거나 통보하여야 한다.

긴급구조활동에 대한 평가

① 긴급구조지원기관의 활동에 대한 종합평가에는 다음 각 호의 사항이 포함되어야 한다.
  1. 긴급구조 활동에 참여한 인력 및 장비
  2. 제63조에 따른 긴급구조대응계획의 이행 실태
  3. 긴급구조요원의 전문성
  4. 통합 현장 대응을 위한 통신의 적절성
  5. 법 제55조제3항에 따른 긴급구조교육 수료자 현황
  6. 긴급구조 대응상의 문제점 및 개선이 필요한 사항

② 제1항에 따른 종합평가 결과를 통보받은 긴급구조지원기관의 장은 평가 결과에 따라 보완 등 적절한 조치를 하여야 한다.

③ 제1항 및 제2항에서 규정한 사항 외에 긴급구조활동 평가에 대한 사항은 행정안전부령으로 정한다.

<긴급구조대응활동 및 현장지휘에 관한 규칙>
제38조(긴급구조활동 평가항목)
①통제단장은 다음 각호의 모든 사항을 포함하여 긴급구조활동을 평가하여야

한다.
1. 긴급구조활동에 참여한 인력 및 장비 운용
 가. 자원 동원현황
 나. 필요한 대응자원의 확보·관리 및 배분
2. 긴급구조대응계획서의 이행실태
 가. 지휘통제 및 비상경고체계
  (1) 작전 전략과 전술 (2) 현장지휘소 운영 (3) 현장통제대책
  (4) 긴급구조관련기관·단체간 상호협조 (5) 통제·조정의 이행
  (6) 사전 경보전파 및 대피유도활동
 나. 대중정보 및 상황분석 체계
  (1) 대중매체와 주민들에 대한 재난정보 제공
  (2) 재난정보 제공에 따른 주민들의 대응행동
  (3) 통합작전계획의 수립을 위한 정보의 수집 및 분석
  (4) 긴급구조관련기관·단체의 정보 공유
  (5) 잘못 전달된 정보 및 유언비어의 시정
  (6) 대중매체와 주민의 불평
 다. 대피 및 대피소 운영체계
  (1) 대피를 위한 수송체계
  (2) 주민대피유도 (3) 대피소 시설의 규모 및 편의성
  (4) 임시거주시설의 규모 및 편의성
  (5) 대피소 수용자들에 대한 음식·담요·전기공급 등 지원사항
 라. 현장통제 및 구조진압체계
  (1) 재난지역에 대한 경찰통제선 선정과 교통통제
  (2) 범죄발생 예방활동   (3) 진압작전수행   (4) 소방용수 등 자원공급
  (5) 탐색 및 구조활동
  (6) 자위소방대, 의용소방대 및 민방위대 등의 임무 수행
  (7) 긴급구조관련기관간 협조체제
 마. 응급의료체계
  (1) 환자분류체계 (2) 현장응급처치 (3) 환자 분산이송 및 병원선택
  (4) 의료자원 공급 및 의료기관간 협조체제
  (5) 현장 임시영안소의 설치·운영
  (6) 사상자 명단 관리 및 발표
 바. 긴급복구 및 긴급구조체계

(1) 잔해물 제거 및 긴급구조활동 지원 (2) 피해평가작업의 지원활동
(3) 2차 피해방지 및 보호작업 (4) 응급복구 및 피해조사의 시기
(5) 구호기관의 지원활동 (6) 상황 및 시기에 적합한 구호물자 제공

3. 긴급구조요원의 전문성
 가. 경보접수 후 긴급조치
 나. 긴급구조관련기관·단체가 제공한 재난상황정보의 정확성
 다. 자원집결지와 자원대기소의 운영 및 자원통제
 라. 상황정보 및 자원정보와 작전계획의 연계
 마. 단위책임자들의 작전계획서 활용
 바. 대피명령의 시기
 사. 위험물질 누출 및 확산 통제

4. 통합 현장대응을 위한 통신의 적절성
 가. 통신 시설·장비의 성능 및 작동
 나. 비상소집활동 및 책임자 등의 응소
 다. 대체 통신수단 확보

5. 긴급구조교육수료자의 교육실적
 가. 긴급구조 업무담당자 및 관리자의 교육이수율
 나. 긴급구조 현장활동요원의 긴급구조교육과정 및 교육이수율
 다. 긴급구조관련기관별 자체교육 및 훈련 실적

6. 그 밖에 긴급구조대응상의 개선을 요하는 사항
 가. 예방 가능하였던 사상자의 존재
 나. 수송수단의 확보
 다. 수송장비의 유지 및 수리작업
 라. 비상 및 임시수송로 확보
 마. 대응요원들의 불필요한 사상
 바. 대응자원의 분실
 사. 전문적 지식·기술·의학·법률 등에 관한 자문체계 운영
 아. 대응 및 긴급복구작업에 소요된 비용 근거자료 기록관리

자. 통제단 운영에 대한 기록유지

제39조(긴급구조활동평가단의 구성)
①통제단장은 재난상황이 종료된 후 긴급구조활동의 평가를 위하여 긴급구조기관에 긴급구조활동평가단(이하 "평가단"이라 한다)을 구성하여야 한다.
②평가단의 단장은 통제단장으로 하고, 단원은 다음 각호의 어느 하나에 해당하는 자와 민간전문가 2인 이상을 포함하여 5인 이상 7인 이하로 구성한다.
 1. 통제단장
 2. 통제단의 대응계획부장 또는 소속 반장
 3. 자원지원부장 또는 소속 반장
 4. 긴급구조지휘대장
 5. 긴급복구부장 또는 소속 반장
 6. 긴급구조활동에 참가한 기관·단체의 요원 또는 평가에 관한 전문지식과 경험이 풍부한 자중에서 통제단장이 필요하다고 인정하는 자

제40조(재난활동보고서등의 제출요청 등)
①통제단장은 긴급구조활동의 평가를 위하여 긴급구조활동에 참여한 긴급구조지원기관의 장에게 일정한 기간을 정하여 긴급구조대응계획이 정하는 바에 따라 재난활동보고서와 관련자료의 제출을 요청하여야 한다.
②평가단의 단장은 평가와 관련된 업무를 수행함에 있어서 긴급구조지원기관의 장과 관계인의 출석·의견진술 및 자료제출 등을 요구할 수 있다.

제41조(평가실시)
①평가단의 단장은 재난활동보고서 및 관련자료와 대응기간동안 통제단에서 작성한 각종 서류, 동영상 및 사진, 긴급구조활동에 참여한 기관·단체 책임자들과의 면담 자료 등을 근거로 긴급구조활동에 대한 평가를 실시한다.
②긴급구조지원기관에 대한 평가는 제38조제1항의 규정에 의한 평가항목을 기준으로 소방청장이 정하는 평가표에 의하여 실시한다. 다만, 영 제63조제2항의 규정에 의하여 긴급구조세부대응계획을 작성한 긴급구조지원기관에 대한 긴급구조활동의 평가는 제36조의 규정에 의한 긴급구조세부대응계획을 기준으로 실시한다.
③평가항목별 평가수준은 0부터 5까지로 한다.

제42조(평가결과의 보고 및 통보)
① 평가단은 긴급구조대응계획에서 정하는 평가결과보고서를 지체 없이 제출하여야 하며, 시 · 군 · 구긴급구조통제단장은 시 · 도긴급구조통제단장 및 시장 · 군수 · 구청장에게, 시 · 도긴급구조통제단장은 소방청장 및 특별시장 · 광역시장 · 특별자치시장 · 도지사 · 특별자치도지사에게 각각 보고하거나 통보하여야 한다.
②통제단장은 평가결과 시정을 요하거나 개선 · 보완할 사항이 있는 경우에는 그 사항을 평가종료 후 1월 이내에 해당 긴급구조지원기관의 장에게 통보하여야 한다.

제43조(평가결과의 조치)
긴급구조지원기관의 장은 통제단장으로부터 제42조제2항의 규정에 의한 통보를 받은 경우에는 긴급구조세부대응계획의 수정, 긴급구조활동에 대한 제도 및 대응체제의 개선, 예산의 우선지원 등 필요한 대책을 강구하여야 한다.

제44조(평가결과의 통보 등)
통제단장은 평가결과 다음 사항을 당해 긴급구조지원기관의 장에게 통보할 수 있다.
1. 우수 재난대응관리자 또는 종사자의 현황
2. 재난대응을 하지 아니하거나 부적절하게 대응한 관리자 또는 종사자의 현황

(7) 긴급구조대응계획의 수립

긴급구조기관의 장은 재난이 발생하는 경우 긴급구조기관과 긴급구조지원기관이 신속하고 효율적으로 긴급구조를 수행할 수 있도록 대통령령으로 정하는 바에 따라 재난의 규모와 유형에 따른 긴급구조대응계획을 수립·시행하여야 한다.

긴급구조대응계획의 수립

① 법 제54조에 따라 긴급구조기관의 장이 수립하는 긴급구조대응계획은 기본계획, 기능별 긴급구조대응계획, 재난유형별 긴급구조대응계획으로 구분하되, 구분된 계획에 포함되어야 하는 사항은 다음 각 호와 같다.

1. 기본계획
 가. 긴급구조대응계획의 목적 및 적용범위
 나. 긴급구조대응계획의 기본방침과 절차
 다. 긴급구조대응계획의 운영책임에 관한 사항
2. 기능별 긴급구조대응계획
 가. 지휘통제: 긴급구조체제 및 중앙통제단과 지역통제단의 운영체계 등에 관한 사항
 나. 비상경고: 긴급대피, 상황 전파, 비상연락 등에 관한 사항
 다. 대중정보: 주민보호를 위한 비상방송시스템 가동 등 긴급 공공정보 제공에 관한 사항 및 재난상황 등에 관한 정보 통제에 관한 사항
 라. 피해상황분석: 재난현장상황 및 피해정보의 수집·분석·보고에 관한 사항
 마. 구조·진압: 인명 수색 및 구조, 화재진압 등에 관한 사항
 바. 응급의료: 대량 사상자 발생 시 응급의료서비스 제공에 관한 사항
 사. 긴급오염통제: 오염 노출 통제, 긴급 감염병 방제 등 재난현장 공중보건에 관한 사항
 아. 현장통제: 재난현장 접근 통제 및 치안 유지 등에 관한 사항
 자. 긴급복구: 긴급구조활동을 원활하게 하기 위한 긴급구조차량 접근 도로 복구 등에 관한 사항
 차. 긴급구호: 긴급구조요원 및 긴급대피 수용주민에 대한 위기 상담, 임시 의식주 제공 등에 관한 사항

카. 재난통신: 긴급구조기관 및 긴급구조지원기관 간 정보통신체계 운영 등
   에 관한 사항
3. 재난유형별 긴급구조대응계획
 가. 재난 발생 단계별 주요 긴급구조 대응활동 사항
 나. 주요 재난유형별 대응 매뉴얼에 관한 사항
 다. 비상경고 방송메시지 작성 등에 관한 사항

② 긴급구조기관의 장은 긴급구조대응계획을 수립하기 위하여 필요한 경우에
는 긴급구조지원기관의 장에게 소관별 긴급구조세부대응계획을 수립하여 제
출하도록 요청할 수 있다. 이 경우 긴급구조기관의 장은 긴급구조세부대응계
획의 작성에 필요한 긴급구조세부대응계획의 수립에 관한 지침을 작성하여
배포하여야 한다.

긴급구조대응계획의 수립절차

① 소방청장은 매년 법 제54조에 따라 시·도긴급구조대응계획의 수립에 관
한 지침을 작성하여 시·도긴급구조기관의 장에게 전달하여야 한다.
② 시·도긴급구조기관의 장은 제1항에 따른 지침에 따라 시·도긴급구조대
응계획을 작성하여 소방청장에게 보고하고 시·군·구긴급구조대응계획의 수
립에 관한 지침을 작성하여 시·군·구긴급구조기관에 통보하여야 한다.
③ 시·군·구긴급구조기관의 장은 제2항에 따른 시·군·구긴급구조대응계
획의 수립에 관한 지침에 따라 시·군·구긴급구조대응계획을 작성하여 시·
도긴급구조기관의 장에게 보고하여야 한다.
④ 긴급구조대응계획을 변경하는 경우에는 제1항부터 제3항까지의 규정을
준용한다.
⑤ 제1항부터 제4항까지에서 규정한 사항 외에 긴급구조대응계획의 수립 및
시행에 필요한 사항은 행정안전부령으로 정한다.

<긴급구조대응활동 및 현장지휘에 관한 규칙>

제29조(심의위원회의 구성 및 운영)
①긴급구조기관의 장은 긴급구조대응계획을 수립하는 경우에는 긴급구조기관에

긴급구조대응계획심의위원회(이하 "위원회"라 한다)를 구성하여 위원회의 심의를 거쳐 확정하여야 한다.
②제1항의 규정에 의한 위원회의 위원장은 긴급구조기관의 장이 되고, 위원은 긴급구조지원기관의 장으로 구성하되 위원장을 포함하여 7인 이상 11인 이하로 한다.
③그 밖에 위원회의 구성 및 운영에 관한 사항은 각 긴급구조기관의 장이 정한다.

제30조(긴급구조대응계획의 작성책임)

①긴급구조기관의 장은 긴급구조대응계획중 기능별 긴급구조대응계획을 작성하는 경우 별표 2의 규정에 의한 책임기관과 공동으로 작성하여야 한다.
②제1항의 규정에 의하여 기능별 긴급구조대응계획을 작성한 긴급구조지원기관의 장은 영 제63조제2항의 규정에 의한 긴급구조세부대응계획을 작성하지 아니할 수 있다.

제31조(긴급구조대응계획의 배포·관리)
①긴급구조기관의 장은 긴급구조대응계획을 작성하거나 변경하는 경우에는 이를 긴급구조지원기관 등 관련기관 및 단체와 통제단의 반장급 이상의 지휘관에게 2부 이상을 배포하고 별지 제3호서식의 긴급구조대응계획 배포관리대장에 기록·관리하여야 한다.
②영 제64조제4항의 규정에 의하여 긴급구조대응계획을 변경하는 경우에는 다음 각 호의 관리대장 및 일지를 기록·관리하여야 한다.
1. 별지 제4호서식의 긴급구조대응계획 수정일지
2. 별지 제5호서식의 긴급구조대응계획 수정배포 관리대장
③그 밖에 긴급구조대응계획의 배포·관리에 관한 세부사항은 소방청장이 정한다.

(8) 긴급구조 관련 특수번호 전화서비스의 통합·연계

① 행정안전부장관은 긴급구조 요청에 대한 신속한 대응을 위하여 대통령령으로 정하는 긴급구조 관련 특수번호 전화서비스(이하 "특수번호 전화서비스"라 한다)의 통합·연계 체계를 구축·운영하여야 한다.

긴급구조 관련 특수번호 전화서비스의 통합·연계

① 법 제54조의2제1항에서 "대통령령으로 정하는 긴급구조 관련 특수번호 전화서비스"란 「전기통신사업법」 제48조에 따른 전기통신번호자원 관리계획에 따라 부여하는 다음 각 호의 특수번호 전화서비스(이하 "특수번호 전화서비스"라 한다)를 말한다.
1. 화재·구조·구급 등에 관한 긴급구조 특수번호 전화서비스: 119
2. 범죄 피해 등으로부터의 구조 등에 관한 긴급구조 특수번호 전화서비스: 112
3. 그 밖에 긴급구조와 관련하여 과학기술정보통신부장관이 전기통신번호자원관리계획에 따라 부여하여 중앙행정기관, 지방자치단체 또는 제3항에 따른 공공기관에서 사용하는 특수번호 전화서비스

---

② 행정안전부장관은 제1항에 따라 통합·연계되는 특수번호 전화서비스의 운영실태를 조사·분석하여 그 결과를 특수번호 전화서비스의 통합·연계 체계의 운영 개선에 활용할 수 있다.

---

② 행정안전부장관은 법 제54조의2제2항에 따라 특수번호 전화서비스의 운영실태를 조사·분석하여 사용실적이 저조하거나 사용이 불필요한 특수번호는 통합 또는 회수하도록 과학기술정보통신부장관에게 요청할 수 있다.

---

③ 행정안전부장관은 필요한 경우 관계 중앙행정기관의 장 또는 대통령령으로 정하는 공공기관의 장에게 특수번호 전화서비스의 통합·연계 및 조사·분석 결과의 활용 등에 관한 협조를 요청할 수 있다. 이 경우 요청을 받은 해당 기관의 장은 특별한 사유가 없으면 협조하여야 한다.

> ③ 법 제54조의2제3항 전단에서 "대통령령으로 정하는 공공기관"이란 전기통신번호자원관리계획에 따라 긴급구조와 관련하여 특수번호를 부여받은 공공기관을 말한다.

④ 제1항부터 제3항까지에서 규정한 사항 외에 특수번호 전화서비스의 통합·연계 체계의 구축·운영 등에 필요한 사항은 대통령령으로 정한다.

(9) 재난대비능력 보강

① 국가와 지방자치단체는 재난관리에 필요한 재난관리자원의 확보·확충, 통신망의 설치·정비 등 긴급구조능력을 보강하기 위하여 노력하고, 필요한 재정상의 조치를 마련하여야 한다.

② 긴급구조기관의 장은 긴급구조활동을 신속하고 효과적으로 할 수 있도록 긴급구조지휘대 등 긴급구조체제를 구축하고, 상시 소속 긴급구조요원 및 장비의 출동태세를 유지하여야 한다.

③ 긴급구조업무와 재난관리책임기관(행정기관 외의 기관만 해당한다)의 재난관리업무에 종사하는 사람은 대통령령으로 정하는 바에 따라 긴급구조에 관한 교육을 받아야 한다. 다만, 다른 법

령에 따라 긴급구조에 관한 교육을 받은 경우에는 이 법에 따른 교육을 받은 것으로 본다.

긴급구조에 관한 교육

① 긴급구조지원기관에서 긴급구조업무와 재난관리업무를 담당하는 부서의 담당자 및 관리자는 법 제55조제3항에 따라 다음 각 호의 구분에 따른 긴급구조에 관한 교육(이하 "긴급구조교육"이라 한다)을 받아야 한다.

1. 신규교육: 해당 업무를 맡은 후 1년 이내에 받는 긴급구조교육
2. 정기교육: 신규교육을 받은 후 2년마다 받는 긴급구조교육

② 제1항에서 규정한 사항 외에 재난관리업무에 종사하는 사람의 교육에 필요한 세부 사항은 행정안전부령으로 정한다.

긴급구조의 교육

① 영 제66조제2항에 따른 재난관리업무에 종사하는 사람에 대한 긴급구조에 관한 교육 내용은 다음 각 호와 같다.
1. 긴급구조대응계획 및 긴급구조세부대응계획의 수립ㆍ집행 및 운용방법
2. 재난 대응 행정실무
3. 긴급재난 대응 이론 및 기술
4. 긴급구조활동에 필요한 인명구조, 응급처치, 건축물구조 안전조치, 특수재난 대응방법 및 법 제49조제1항에 따른 중앙긴급구조통제단의 단장이 필요하다고 인정하는 사항

② 제1항에 따른 교육은 다음 각 호의 과정으로 구분하여 시행하여야 한다.
1. 긴급구조 대응활동 실무자과정
2. 긴급구조 대응 행정실무자과정
3. 긴급구조 대응 현장지휘자과정
4. 중앙통제단장이 필요하다고 인정하는 교육과정
5. 그 밖에 법 제16조제2항에 따른 시ㆍ도재난안전대책본부의 본부장 및 시ㆍ군ㆍ구재난안전대책본부의 본부장과 법 제50조제2항에 따른 시ㆍ도긴급구

> 조통제단의 단장 및 시·군·구긴급구조통제단의 단장이 필요하다고 인정하
> 는 교육과정

④ 소방청장과 시·도지사는 제3항에 따른 교육을 담당할 교육
기관을 지정할 수 있다.

⑤ 긴급구조기관의 장은 재난이 발생한 경우 사상자의 신속한 분
류·응급처치 및 이송을 위하여 「의료법」 제3조에 따른 의료
기관 및 「응급의료에 관한 법률」 제2조에 따른 응급의료기관
등에 현장 응급의료에 필요한 재난관리자원 등에 관한 자료를 요
청할 수 있다. 이 경우 자료의 요청을 받은 관계 기관의 장은 정
당한 사유가 없으면 이에 따라야 한다.

⑥ 제5항에 따라 긴급구조기관의 장이 요청할 수 있는 자료의
종류는 대통령령으로 정한다.

> **긴급구조기관의 장이 요청할 수 있는 자료**
>
> 긴급구조기관의 장은 법 제55조제5항 전단에 따라 「의료법」 제3조에 따른
> 의료기관 및 「응급의료에 관한 법률」 제2조제7호에 따른 응급의료기관등(이
> 하 "해당 의료기관"이라 한다)에 대하여 다음 각 호의 사항에 관한 자료를 요
> 청할 수 있다.
> 1. 응급의료 종사자 수 등 해당 의료기관의 응급의료 인력
> 2. 구급차량, 특수의료장비 등 해당 의료기관의 응급의료 장비
> 3. 병상, 수술실 등 해당 의료기관의 응급환자 수용능력

(10) 긴급구조지원기관의 능력에 대한 평가

① 긴급구조지원기관은 대통령령으로 정하는 바에 따라 긴급구조에 필요한 능력을 유지하여야 한다.

긴급구조지원기관의 능력에 대한 평가

① 긴급구조지원기관이 법 제55조의2제1항에 따라 유지하여야 하는 긴급구조에 필요한 능력의 구성요소는 다음 각 호와 같다.
1. 다음 각 목의 어느 하나에 해당하는 전문인력
 가. 긴급구조에 관한 교육을 14시간 이상 이수한 사람
 나. 긴급구조 관련 업무에 3년 이상 종사한 경력이 있는 사람
 다. 해당 기관의 긴급구조 분야와 관련되는 국가자격 또는 민간자격을 보유한 사람
2. 긴급구조활동에 필요한 다음 각 목의 시설이나 장비
 가. 긴급구조기관으로부터 재난발생 상황 및 긴급구조 지원 요청을 접수하고 처리할 수 있는 상시 운영 시설
 나. 재난이 발생할 우려가 현저하거나 재난이 발생하였을 때 긴급구조기관과 연락할 수 있는 정보통신 시설이나 장비
 다. 긴급구조지원기관의 해당 분야별 긴급구조활동을 수행하는 데에 필요한 시설이나 장비
 라. 제1호에 따른 전문인력과 나목 및 다목의 시설·장비를 재난 현장으로 수송할 수 있는 장비
3. 재난 현장에서 긴급구조활동을 지속적으로 수행하는 데에 필요한 다음 각 목의 물자
 가. 제1호에 따른 전문인력의 안전 확보 및 휴식·대기 등을 위한 물자
 나. 제2호 각 목의 시설 및 장비의 운영과 유지·보수 및 정비에 필요한 물자
4. 재난 현장에서 제1호부터 제3호까지의 전문인력, 시설·장비 및 물자를 긴급구조기관과 연계하여 운영하기 위한 다음 각 목의 운영체계
 가. 재난 현장에서의 의사전달 및 조정 체계
 나. 재난 현장에 투입된 인력, 시설·장비, 물자 등의 상황을 신속하게 파악하고, 효율적으로 배치·관리할 수 있는 자원관리체계
 다. 긴급구조기관과의 협조체제를 유지하기 위한 현장지휘체계

---

② 긴급구조기관의 장은 법 제55조의2제2항 본문에 따라 제1항에 따른 긴급구조에 필요한 능력의 구성요소를 평가대상으로 하여 매년 긴급구조지원기관의 능력을 평가할 수 있다.

③ 긴급구조기관의 장은 법 제55조의2제3항에 따라 긴급구조지원기관의 능력 평가 결과를 긴급구조지원기관의 장에게 통보할 때에는 해당 기관의 긴급구조에 필요한 능력의 개선 및 보완에 필요한 사항을 포함할 수 있다.

④ 긴급구조지원기관의 장은 제3항에 따라 개선 및 보완 사항을 통보받은 때에는 그에 따라 긴급구조에 필요한 능력을 개선·보완하여 긴급구조에 필요한 능력을 유지하여야 한다.

⑤ 제1항에 따른 긴급구조에 필요한 능력의 구성요소에 대한 세부 사항에 관하여는 긴급구조지원기관의 특성 등을 고려하여 소방청장이 정한다.

② 긴급구조기관의 장은 긴급구조지원기관의 능력을 평가할 수 있다. 다만, 상시 출동체계 및 자체 평가제도를 갖춘 기관과 민간 긴급구조지원기관에 대하여는 대통령령으로 정하는 바에 따라 평가를 하지 아니할 수 있다.

평가 대상에서 제외되는 긴급구조지원기관 및 평가 제외 기간

① 다음 각 호의 어느 하나에 해당하는 긴급구조지원기관은 다음 연도에 한정하여 제66조의3제2항에 따른 평가 대상에서 제외한다.
1. 재난대비훈련의 결과가 소방청장이 정하는 기준 이상에 해당하는 긴급구조지원기관
2. 긴급구조기관의 장이 긴급구조지원기관의 자체평가 제도와 그 결과를 확인하여 긴급구조에 필요한 능력을 갖춘 것으로 인정하는 긴급구조지원기관

② 다음 각 호의 어느 하나에 해당하는 긴급구조지원기관은 다음 연도와 그 다음 연도에 한하여 제66조의3제2항에 따른 평가 대상에서 제외한다.

> 1. 긴급구조활동에 대한 종합평가 결과 소방청장이 정하는 기준 이상에 해당하는 긴급구조지원기관
> 2. 긴급구조기관과 긴급구조활동에 관한 응원협정을 체결하면서 긴급구조기관으로부터 긴급구조에 필요한 능력을 확인받은 긴급구조지원기관

③ 긴급구조기관의 장은 제2항에 따른 평가 결과를 해당 긴급구조지원기관의 장에게 통보하여야 한다.

긴급구조지원기관 능력에 대한 평가 절차

① 소방청장은 긴급구조기관이 긴급구조지원기관에 대한 능력을 평가하는 데에 필요한 평가지침을 매년 수립하여 다른 긴급구조기관의 장에게 통보하여야 한다.

② 제1항에 따른 평가지침에는 다음 각 호의 사항이 포함되어야 한다.
1. 긴급구조기관별로 평가하여야 하는 긴급구조지원기관
2. 긴급구조지원기관에 대한 평가방법 및 평가 기준
3. 그 밖에 긴급구조지원기관에 대한 능력 평가와 관련하여 소방청장이 필요하다고 인정하는 사항

③ 긴급구조기관의 장은 제1항에 따른 평가지침에 따라 긴급구조지원기관에 대한 능력 평가 계획을 수립하고, 미리 평가 대상이 되는 긴급구조지원기관의 장에게 통보하여야 한다

---

④ 제1항부터 제3항까지에서 규정한 사항 외에 긴급구조지원기관의 능력 평가에 필요한 사항은 대통령령으로 정한다.

(11) 해상에서의 긴급구조

해상에서 발생한 선박이나 항공기 등의 조난사고의 긴급구조활동에 관하여는 「수상에서의 수색·구조 등에 관한 법률」 등 관계 법령에 따른다.

「수상에서의 수색·구조 등에 관한 법률」

제5조 (중앙구조본부 등의 설치)
① 해수면에서의 수난구호에 관한 사항의 총괄·조정, 수난구호협력기관과 수난구호민간단체 등이 행하는 수난구호활동의 역할조정과 지휘·통제 및 수난구호활동의 국제적인 협력을 위하여 해양경찰청에 중앙구조본부를 둔다.

제7조 (구조대 및 구급대의 편성·운영)
① 중앙구조본부의 장, 광역구조본부의 장 및 지역구조본부의 장(이하 "구조본부의 장"이라 한다)은 해수면에서 수난구호를 효율적으로 수행하기 위하여 구조대를 편성·운영하고, 해수면과 연육로로 연결되지 아니한 도서(소방관서가 설치된 도서는 제외한다)에서 발생하는 응급환자를 응급처치하거나 의료기관에 긴급히 이송하기 위하여 구급대를 편성·운영하여야 한다.
② 소방청장, 소방본부장 및 소방서장(이하 "소방관서의 장"이라 한다)은 내수면에서의 수난구호를 위하여 구조대를 편성·운영하고, 내수면에서 발생하는 응급환자를 응급처치하거나 의료기관에 긴급히 이송하기 위하여 구급대를 편성·운영하여야 한다.

제13조(수난구호의 관할)

해수면에서의 수난구호는 구조본부의 장이 수행하고, 내수면에서의 수난구호는 소방관서의 장이 수행한다. 다만, 국제항행에 종사하는 내수면 운항선박에 대한 수난구호는 구조본부의 장과 소방관서의 장이 상호 협조하여 수행하여야 한다.

(12) 항공기 등 조난사고 시의 긴급구조 등

① 소방청장은 항공기 조난사고가 발생한 경우 항공기 수색과 인명구조를 위하여 항공기 수색·구조계획을 수립·시행하여야 한다. 다만, 다른 법령에 항공기의 수색·구조에 관한 특별한 규정이 있는 경우에는 그 법령에 따른다.

② 항공기의 수색·구조에 필요한 사항은 대통령령으로 정한다.

항공기 수색·구조계획에 포함될 사항

① 법 제57조제1항 본문에 따른 항공기 수색·구조계획에는 다음 각 호의 사항이 포함되어야 한다.
1. 항공기 수색·구조 체계의 구성 및 운영
2. 항공기 수색·구조와 관련하여 다른 기관과의 협조체제 구축
3. 항공기 수색·구조에 필요한 교육 및 훈련
4. 항공기 수색·구조에 필요한 장비 및 시설의 확보 및 유지·관리
5. 그 밖에 항공기 수색과 인명구조를 위하여 소방청장이 필요하다고 인정하는 사항

② 소방청장은 법 제57조제1항 본문에 따라 항공기 수색·구조계획을 수립하려는 때에는 미리 관계 행정기관의 의견을 들어야 한다.

---

③ 국방부장관은 항공기나 선박의 조난사고가 발생하면 관계 법령에 따라 긴급구조업무에 책임이 있는 기관의 긴급구조활동에 대한 군의 지원을 신속하게 할 수 있도록 다음 각 호의 조치를 취하여야 한다.
 1. 탐색구조본부의 설치·운영

2. 탐색구조부대의 지정 및 출동대기태세의 유지

3. 조난 항공기에 관한 정보 제공

④ 제3항제1호에 따른 탐색구조본부의 구성과 운영에 필요한 사항은 국방부령으로 정한다.

탐색구조본부의 구성 및 운영 규칙

제2조(탐색구조본부의 설치) 「재난 및 안전관리 기본법」제57조제3항제1호에 따른 탐색구조본부는 합동참모의장 소속으로 둔다.

제3조(탐색구조본부의 구성)
①탐색구조본부에 본부장 및 부본부장을 두되, 본부장은 합동참모본부 작전본부장이 되고, 부본부장은 합동참모본부 작전본부 작전부장이 된다.
②탐색구조본부에 상황실을 설치·운영하되, 상황실장은 합동참모본부 지휘통제실장이 된다.
③탐색구조본부에 탐색구조 담당 장교 1명을 두고, 상황실에 상황장교를 두되, 상황장교는 합동참모본부 지휘통제실 상황장교가 된다.
④탐색구조본부에 두는 군인의 정원은 국방부장관이 정한다.

제4조(탐색구조본부의 임무)
①탐색구조본부는 탐색구조부대의 출동대기현황을 파악하는 등 탐색구조부대의 출동대기태세유지를 위하여 필요한 조치를 취하여야 한다.
②탐색구조본부는 법 제49조제1항에 따른 중앙긴급구조통제단 및 「수난구호법」제8조제1항에 따른 중앙구조본부의 요청이 있는 경우 탐색구조를 위한 병력 및 장비의 지원을 제5조에 따른 탐색구조부대에 지시하여야 한다.

제5조(탐색구조부대의 지정 및 운영)
①탐색구조본부장은 항공기 또는 선박의 조난사고가 발생한 경우 긴급구조구난활동에 대한 신속한 군의 지원을 위하여 탐색구조능력이 있는 부대를 탐색구조부대로 지정하여야 한다.
②제1항에 따라 지정된 탐색구조부대는 항공기 또는 선박의 조난사고가 발생한 경우 신속히 구조할 수 있도록 출동대기태세를 갖추어야 한다.
③탐색구조부대로 지정될 수 있는 부대의 범위 및 탐색구조부대의 운영에 필요한 사항은 합동참모의장이 정한다.

7) 재난의 복구

제1절 피해조사 및 복구계획

(1) 재난피해 신고 및 조사

① 재난으로 피해를 입은 사람은 피해상황을 행정안전부령으로 정하는 바에 따라 시장·군수·구청장(시·군·구대책본부가 운영되는 경우에는 해당 본부장을 말한다. 이하 이 조에서 같다)에게 신고할 수 있으며, 피해 신고를 받은 시장·군수·구청장은 피해상황을 조사한 후 중앙대책본부장에게 보고하여야 한다.

② 재난관리책임기관의 장은 재난으로 인하여 피해가 발생한 경우에는 피해상황을 신속하게 조사한 후 그 결과를 중앙대책본부장에게 통보하여야 한다.

③ 중앙대책본부장은 재난피해의 조사를 위하여 필요한 경우에는 대통령령으로 정하는 바에 따라 관계 중앙행정기관 및 관계 재난관리책임기관의 장과 합동으로 중앙재난피해합동조사단을 편성하여 재난피해 상황을 조사할 수 있다.

> **중앙재난피해합동조사단의 구성·운영**
>
> ① 법 제58조제3항에 따른 중앙재난피해합동조사단(이하 "재난피해조사단"이라 한다)의 단장은 행정안전부 소속 공무원으로 한다.

② 재난피해조사단의 단장은 중앙대책본부장의 명을 받아 재난피해조사단에 관한 사무를 총괄하고 재난피해조사단에 소속된 직원을 지휘·감독한다.

③ 중앙대책본부장은 재난 피해의 유형·규모에 따라 전문조사가 필요한 경우 전문조사단을 구성·운영할 수 있다.

④ 중앙대책본부장은 제3항에 따른 중앙재난피해합동조사단을 편성하기 위하여 관계 재난관리책임기관의 장에게 소속 공무원이나 직원의 파견을 요청할 수 있다. 이 경우 요청을 받은 관계 재난관리책임기관의 장은 특별한 사유가 없으면 요청에 따라야 한다.

⑤ 제1항 및 제2항에 따른 피해상황 조사의 방법 및 기준 등 필요한 사항은 중앙대책본부장이 정한다.

(2) 재난복구계획의 수립·시행

① 재난관리책임기관의 장은 사회재난으로 인한 피해[사회재난 중 제60조제2항에 따라 특별재난지역으로 선포된 지역의 사회재난으로 인한 피해(이하 이 조에서 "특별재난지역 피해"라 한다)는 제외한다]에 대하여 제58조제2항에 따른 피해조사를 마치면 지체 없이 자체복구계획을 수립·시행하여야 한다.

② 시·도지사 또는 시장·군수·구청장은 특별재난지역 피해에 대하여 관할구역의 피해상황을 종합하는 재난복구계획을 수립한 후 수습본부장 및 관계 중앙행정기관의 장과 협의를 거쳐 중앙대책본부장에게 제출하여야 한다.

③ 제2항에도 불구하고 긴급하게 복구를 실시하여야 하는 등 대통령령으로 정하는 특별한 사유가 있는 경우에는 수습본부장이 특별재난지역 피해에 대한 재난복구계획을 직접 수립하여 중앙대책본부장에게 제출할 수 있다.

자체복구계획 및 재난복구계획

① 법 제59조에 따른 자체복구계획 및 재난복구계획에는 피해시설별·관리주체별 복구 내용, 일정 및 복구비용 등이 포함되어야 한다.

② 법 제59조제3항에서 "대통령령으로 정하는 특별한 사유"란 다음 각 호의 어느 하나에 해당하는 경우로서 법수습본부의 장이 직접 재난복구계획을 수립할 필요성이 있다고 판단하는 경우를 말한다.
1. 사회재난 중 법 제60조제2항에 따라 특별재난지역으로 선포된 지역의 사회재난으로 인한 피해(이하 "특별재난지역 피해"라 한다)에 대하여 긴급하게 복구를 실시하여야 하는 경우
2. 2개 이상의 시·도에 걸쳐 특별재난지역 피해가 발생한 경우
3. 항공사고, 해상사고, 철도사고, 화학사고, 원전사고 또는 이에 준하는 사고로 인하여 발생한 특별재난지역 피해로서 국가적 차원에서 복구할 필요성이 큰 경우

---

④ 중앙대책본부장은 제2항 또는 제3항에 따라 제출받은 재난복구계획을 제14조제3항 본문에 따른 중앙재난안전대책본부회의의 심의를 거쳐 확정하고, 이를 관계 재난관리책임기관의 장에게 통보하여야 한다.

⑤ 재난관리책임기관의 장은 제4항에 따라 재난복구계획을 통보받으면 그 재난복구계획에 따라 지체 없이 재난복구를 시행하여야 한다. 이 경우 지방자치단체의 장은 재난복구를 위하여 필요한 경비를 지방자치단체의 예산에 계상(計上)하여야 한다.

(3) 재난복구계획에 따라 시행하는 사업의 관리

① 재난관리책임기관의 장은 제59조제1항에 따른 자체복구계획 또는 같은 조 제4항에 따른 재난복구계획에 따라 시행하는 사업이 체계적으로 관리되도록 하여야 한다.

② 중앙대책본부장은 재난복구계획에 따라 시행하는 사업이 효율적으로 추진될 수 있도록 대통령령으로 정하는 사업에 대하여 지도·점검하고, 필요하면 시정명령 또는 시정요청(현지 시정명령과 시정요청을 포함한다)을 할 수 있다. 이 경우 시정명령 또는 시정요청을 받은 관계 기관의 장은 정당한 사유가 없으면 이에 따라야 한다.

② 중앙대책본부장은 법 제59조의2제2항 전단에 따른 재난복구사업의 지도·점검(이하 "지도·점검"이라 한다)을 하려는 경우에는 다음 각 호의 사항이 포함된 지도·점검 계획을 수립하여 지도·점검 5일 전까지 대상 기관에 통지하여야 한다.
1. 지도·점검의 목적
2. 지도·점검의 일시 및 대상
3. 그 밖에 지도·점검을 위하여 중앙대책본부장이 필요하다고 인정하는 사항

③ 중앙대책본부장은 지도·점검의 효율적 수행을 위하여 필요한 경우 관계 중앙행정기관 및 행정안전부 소속 공무원으로 이루어진 합동점검반을 구성·운영할 수 있다.

③ 제2항에 따른 지도·점검 등에 필요한 사항은 대통령령으로 정한다.

재난복구계획에 따라 시행하는 사업의 지도·점검 대상 등

① "대통령령으로 정하는 사업"이란 재난복구계획에 따라 시행하는 사업(이하 이 조에서 "재난복구사업"이라 한다) 중 다음 각 호의 어느 하나에 해당하는 재난관리책임기관이 관리하는 시설에 대한 재난복구사업을 말한다.
1. 중앙행정기관 및 지방자치단체
2. 별표 1의2에 따른 재난관리책임기관 중 지방행정기관
3. 별표 1의2에 따른 재난관리책임기관(제2호에 따른 지방행정기관은 제외한다) 중 재난복구사업의 규모 및 파급효과 등을 고려하여 해당 재난복구사업에 대한 지도·점검이 필요하다고 행정안전부장관이 인정하는 재난관리책임기관

제2절 특별재난지역의 선포 및 지원

(1) 특별재난지역의 선포

① 중앙대책본부장은 대통령령으로 정하는 규모의 재난이 발생하여 국가의 안녕 및 사회질서의 유지에 중대한 영향을 미치거나 피해를 효과적으로 수습하기 위하여 특별한 조치가 필요하다고 인정하거나 제3항에 따른 지역대책본부장의 요청이 타당하다고 인정하는 경우에는 중앙위원회의 심의를 거쳐 해당 지역을 특별재난지역으로 선포할 것을 대통령에게 건의할 수 있다.

특별재난의 범위 및 선포 등

① "대통령령으로 정하는 규모의 재난"이란 다음 각 호의 어느 하나에 해당하는 재난을 말한다.
1. 자연재난으로서 「자연재난 구호 및 복구 비용 부담기준 등에 관한 규정」 제5조제1항에 따른 국고 지원 대상 피해 기준금액의 2.5배를 초과하는 피해가 발생한 재난

1의2. 자연재난으로서 「자연재난 구호 및 복구 비용 부담기준 등에 관한 규정」 제5조제1항에 따른 국고 지원 대상에 해당하는 시·군·구의 관할 읍·면·동에 같은 항 각 호에 따른 국고 지원 대상 피해 기준금액의 4분의 1을 초과하는 피해가 발생한 재난

2. 사회재난의 재난 중 재난이 발생한 해당 지방자치단체의 행정능력이나 재정능력으로는 재난의 수습이 곤란하여 국가적 차원의 지원이 필요하다고 인정되는 재난

3. 그 밖에 재난 발생으로 인한 생활기반 상실 등 극심한 피해의 효과적인 수습 및 복구를 위하여 국가적 차원의 특별한 조치가 필요하다고 인정되는 재난

「자연재난 구호 및 복구 비용 부담기준 등에 관한 규정」

제5조(국고의 지원 대상) ① 제4조제1항제1호·제2호 및 같은 항 제3호나목부터 라목까지의 규정에 따른 국고의 지원은 동일한 재난기간에 발생한 특별자치시·특별자치도·시·군·구의 피해금액[농작물·동산(動産) 및 공장의 피해금액은 제외한다]이 다음 각 호의 구분에 따른 금액 이상인 경우에만 한다.
1. 최근 3년간의 평균 재정력지수가 0.1 미만인 시·군·구: 18억원
2. 최근 3년간의 평균 재정력지수가 0.1 이상 0.2 미만인 시·군·구: 24억원
3. 최근 3년간의 평균 재정력지수가 0.2 이상 0.4 미만인 시·군·구: 30억원
4. 최근 3년간의 평균 재정력지수가 0.4 이상 0.6 미만인 시·군·구: 36억원
5. 최근 3년간의 평균 재정력지수가 0.6 이상인 시·군·구: 42억원

② 제1항에 따라 특별재난지역의 선포를 건의받은 대통령은 해당 지역을 특별재난지역으로 선포할 수 있다.

③ 지역대책본부장은 관할지역에서 발생한 재난으로 인하여 제1항에 따른 사유가 발생한 경우에는 중앙대책본부장에게 특별재난지역의 선포 건의를 요청할 수 있다.

(2) 특별재난지역에 대한 지원

국가나 지방자치단체는 제60조에 따라 특별재난지역으로 선포된 지역에 대하여는 제66조제3항에 따른 지원을 하는 외에 대통령령으로 정하는 바에 따라 응급대책 및 재난구호와 복구에 필요한 행정상·재정상·금융상·의료상의 특별지원을 할 수 있다.

특별재난지역에 대한 지원

① 특별재난지역으로 선포한 지역에 대한 특별지원의 내용은 다음 각 호와 같다.

1. 「자연재난 구호 및 복구 비용 부담기준 등에 관한 규정」 제7조에 따른 국고의 추가지원
2. 「자연재난 구호 및 복구 비용 부담기준 등에 관한 규정」 제4조에 따른 지원
3. 의료·방역·방제(防除) 및 쓰레기 수거 활동 등에 대한 지원
4. 「재해구호법」에 따른 의연금품의 지원
5. 농어업인의 영농·영어·시설·운전 자금 및 중소기업의 시설·운전 자금의 우선 융자, 상환 유예, 상환 기한 연기 및 그 이자 감면과 중소기업에 대한 특례보증 등의 지원
6. 그 밖에 재난응급대책의 실시와 재난의 구호 및 복구를 위한 지원

③ 특별재난지역을 선포하는 경우에는 해당 재난을 수습하는 지방자치단체의 재정능력과 피해의 규모를 고려하여 지방자치단체가 행하는 행정·재정·금융·의료에 관한 다음 각 호의 지원에 필요한 비용의 일부를 지원할 수 있다.

1. 재난으로 사망하거나 실종된 사람의 유족 및 부상당한 사람에 대한 지원
2. 피해주민의 생계안정을 위한 지원
3. 피해지역의 복구에 필요한 지원
4. 제1항제3호 및 제5호에 해당하는 지원
5. 그 밖에 중앙대책본부장이 필요하다고 인정하는 지원

④ 제3항제1호에 따른 사망자 유족 및 부상당한 사람에게 지급하는 보상금은 다음 각 호의 구분에 따라 산정한 금액을 초과할 수 없다.

1. 사망자 유족의 경우: 사망 당시의 「최저임금법」에 따른 월 최저임금액에 240을 곱한 금액 또는 「국가배상법」 제3조제1항의 배상기준을 준용하여 산출한 금액 중 많은 금액
2. 부상자의 경우: 제1호에 따라 산출된 금액의 2분의 1 이하의 범위에서 부상의 정도에 따라 행정안전부령으로 정하는 금액

⑤ 중앙대책본부장은 제3항에 따른 지원을 위한 피해금액과 복구비용의 산정, 국고지원 내용 등을 관계 중앙행정기관의 장과의 협의 및 중앙대책본부

회의의 심의를 거쳐 확정한다.

⑥ 중앙대책본부장 및 지역대책본부장은 특별재난지역이 선포되었을 때에는 재난응급대책의 실시와 재난의 구호 및 복구를 위하여 법 제59조제2항에 따른 재난복구계획의 수립·시행 전에 재난대책을 위한 예비비, 재난관리기금·재해구호기금 및 의연금을 집행할 수 있다.

자연재난 구호 및 복구 비용 부담기준 등에 관한 규정

제7조(국고의 추가 지원)
특별재난지역으로 선포된 지역에 대해서는 별표 1과 별표 3의 부담률에 따라 산출한 지방비 총부담액이 다음 각 호의 구분에 따른 금액을 초과하는 경우에는 별표 2의 기준에 따른 금액을 추가하여 국고에서 지원할 수 있다.
1. 「재난 및 안전관리 기본법 시행령」 제69조제1항제1호에 따라 특별재난지역으로 선포된 경우: 제5조제1항 각 호에 해당하는 금액의 2.5배
2. 「재난 및 안전관리 기본법 시행령」 제69조제1항제1호의2에 따라 특별재난지역으로 선포된 경우: 제5조제1항 각 호에 해당하는 금액의 4분의 1

제4조(재난복구 비용 등의 부담기준)
① 법 제66조제1항 및 제2항에 따라 재난구호 및 재난복구 비용 등에 대하여 국고나 지방비 등을 지원하는 대상은 다음 각 호와 같다.
1. 이재민 구호를 위한 다음 각 목의 지원

가. 사망자 및 실종자의 유족과 일상생활에 지장을 줄 정도의 부상을 당한 사람에 대한 구호

나. 주택이 소파(小破, 지진피해에 의한 파손에 한정한다. 이하 같다)·반파(半破)·전파(全破) 되어 사용이 불가능하거나 침수·유실된 사람의 생계안정을 위한 구호비 지원과 주택이 반파·전파·유실된 피해를 입은 세대(세입자를 포함한다)에 속한 고등학생의 학자금 면제

다. 주생계 수단인 농업·어업·임업·염생산업에 재해를 입은 사람의 생계안정을 위한 생계 지원과 고등학생의 학자금 면제

라. 관계 법령 등에서 정하는 바에 따라 농업인·임업인·어업인·염생산업인의 자금 융자, 농업·임업·어업·염생산업 자금의 상환기한 연기 및 그 이자의 감면 또는 중소기업 및 소상공인의 자금 융자, 주택복구자금의 융자

마. 관계 법령 등에서 정하는 바에 따라 국세·지방세, 건강보험료·연금보험료, 통신요금, 전기요금 및 도시가스요금 등의 경감 또는 납부유예 등의 간접지원

2. 재난복구사업을 위한 다음 각 목의 지원
가. 주택 복구
나. 농경지 및 염전 복구
다. 농림시설·농작물 및 산림작물의 복구
라. 축산물 증식시설의 복구와 가축 등의 입식(入殖)
마. 어선과 어망·어구의 복구
바. 수산물의 증식 및 양식 시설의 복구와 수산생물의 입식
사. 공공시설의 복구
아. 가목부터 사목까지에서 규정한 사항 외에 "중앙대책본부장"이 필요하다고 인정하는 피해의 복구

3. 그 밖에 재난대책을 위하여 필요한 다음 각 목의 비용 지원
가. 가뭄지역의 각종 용수(用水) 공급 등 가뭄대책 비용
나. 법 제64조제1항에 따른 손실보상금
다. 중앙대책본부장이 재난의 예방 및 복구 등을 위하여 필요하다고 인정하는 쓰레기 등의 처리 비용
라. 제설비용
마. 그 밖에 중앙재난안전대책본부회의(이하 "본부회의"라 한다)에서 결정된 지원 사항

제3절 재정 및 보상 등

(1) 비용 부담의 원칙

① 재난관리에 필요한 비용은 이 법 또는 다른 법령에 특별한 규정이 있는 경우 외에는 이 법 또는 제3장의 안전관리계획에서 정하는 바에 따라 그 시행의 책임이 있는 자가 부담한다. 다만, 제46조에 따라 시·도지사나 시장·군수·구청장이 다른 재난관리책임기관이 시행할 재난의 응급조치를 시행한 경우 그 비용은 그 응급조치를 시행할 책임이 있는 재난관리책임기관이 부담한다.

② 제1항 단서에 따른 비용은 관계 기관이 협의하여 정산한다.

(2) 응급지원에 필요한 비용

① 응원을 받은 자는 그 응원에 드는 비용을 부담하여야 한다.

② 제1항의 경우 그 응급조치로 인하여 다른 지방자치단체가 이익을 받은 경우에는 그 수익의 범위에서 이익을 받은 해당 지방자치단체가 그 비용의 일부를 분담하여야 한다.

③ 제1항과 제2항에 따른 비용은 관계 기관이 협의하여 정산한다.

(3) 손실보상

① 국가나 지방자치단체는 제39조 및 제45조(제46조에 따라 시
·도지사가 행하는 경우를 포함한다)에 따른 조치로 인하여 손실
이 발생하면 보상하여야 한다.
　(제39조 동원명령 등, 제45조 응급부담)

② 제1항에 따른 손실보상에 관하여는 손실을 입은 자와 그 조
치를 한 중앙행정기관의 장, 시·도지사 또는 시장·군수·구청
장이 협의하여야 한다.

③ 제2항에 따른 협의가 성립되지 아니하면 대통령령으로 정하
는 바에 따라 「공익사업을 위한 토지 등의 취득 및 보상에 관한
법률」 제51조에 따른 관할 토지수용위원회에 재결을 신청할 수
있다.

> **재결의 신청기간**
> ① 법 제64조제2항에 따른 손실보상에 관한 협의는 법 제39조 및 제45조(법 제
> 46조에 따라 시·도지사가 행하는 경우를 포함한다)에 따른 조치가 있는 날부터
> 60일 이내에 하여야 한다.
>
> ② 법 제64조제3항에 따른 재결의 신청은 법 제39조 및 제45조(법 제46조에
> 따라 시·도지사가 행하는 경우를 포함한다)에 따른 조치가 있는 날부터 180
> 일 이내에 하여야 한다.

④ 제3항에 따른 재결에 관하여는 「공익사업을 위한 토지 등의
취득 및 보상에 관한 법률」 제83조부터 제86조까지의 규정을
준용한다.

(4) 치료 및 보상

① 재난 발생 시 긴급구조활동과 응급대책·복구 등에 참여한 자
원봉사자, 제45조에 따른 응급조치 종사명령을 받은 사람 및 제
51조제2항에 따라 긴급구조활동에 참여한 민간 긴급구조지원기
관의 긴급구조지원요원이 응급조치나 긴급구조활동을 하다가 부
상을 입은 경우 및 부상으로 인하여 장애를 입은 경우에는 치료
를 실시하고 보상금을 지급하며, 사망(부상으로 인하여 사망한
경우를 포함한다)한 경우에는 그 유족에게 보상금을 지급한다.
다만, 다른 법령에 따라 국가나 지방자치단체의 부담으로 같은
종류의 보상금을 받은 사람에게는 그 보상금에 상당하는 금액을
지급하지 아니한다.

② 재난의 응급대책·복구 및 긴급구조 등에 참여한 자원봉사자
의 장비 등이 응급대책·복구 또는 긴급구조와 관련하여 고장나
거나 파손된 경우에는 그 자원봉사자에게 수리비용을 보상할 수
있다.

③ 제1항에 따른 치료 및 보상금은 국가나 지방자치단체가 부담
하며, 그 기준과 절차 등에 관한 사항은 대통령령으로 정한다.

치료 및 보상금의 부담 및 지급기준 등

① 치료 및 보상금은 해당 재난이 국가의 업무 또는 시설과 관계되는 경우에
는 국가가 부담하고, 지방자치단체의 업무 또는 시설과 관계되는 경우에는
지방자치단체가 부담한다.

---

② 부상자에 대한 치료는 치료에 필요한 실비를 지급하는 방법으로 할 수 있다.

③ 법 제65조제1항에 따라 사망자의 유족이나 신체에 장애를 입은 자에게 지급하는 보상금의 지급기준에 관하여는 「의사상자 등 예우 및 지원에 관한 법률」 제8조와 같은 법 시행령 제12조를 준용한다.

④ 법 제65조제2항에 따른 장비 등의 고장이나 파손에 대한 보상은 다음 각 호의 기준에 따라 지급액을 결정한다.
1. 고장나거나 파손된 장비 등의 수리가 불가능한 경우에는 참여 당시 장비 등의 교환가격
2. 고장나거나 파손된 장비 등의 수리가 가능한 경우에는 수리에 필요한 실비

⑤ 제1항에 따른 보상 중 유족에 대한 보상금은 그 배우자, 미성년자인 자녀, 부모, 조부모, 성년인 자녀, 형제자매 순으로 지급한다. 이 경우 같은 순위의 유족이 2명 이상일 경우에는 같은 금액으로 나누어 지급하되, 태아는 그 지급순위에 관하여는 이미 출생한 것으로 본다.

치료 및 보상금의 지급절차

① 법 제65조제1항에 따른 부상자의 치료절차에 관하여는 「민방위기본법 시행령」 제44조를 준용한다.

② 법 제65조제1항 및 제2항에 따른 보상금의 지급절차에 관하여는 「민방위기본법 시행령」 제41조를 준용한다. 이 경우 "행정안전부장관"은 "주무부처의 장"으로, "제9조제1항제1호에 따른 민방위기획위원회"는 "법 제9조에 따른 중앙안전관리위원회"로, "법 제7조제1항에 따른 특별시·광역시·도민방위협의회"는 "법 제11조에 따른 시·도 안전관리위원회"로, "법 제7조제1항에 따른 시·군·구민방위협의회"는 "법 제11조에 따른 시·군·구 안전관리위원회"로 본다.

(5) 재난지역에 대한 국고보조 등의 지원

① 국가는 다음 각 호의 어느 하나에 해당하는 재난의 원활한 복구를 위하여 필요하면 대통령령으로 정하는 바에 따라 그 비용(제65조제1항에 따른 보상금을 포함한다)의 전부 또는 일부를 국고에서 부담하거나 지방자치단체, 그 밖의 재난관리책임자에게 보조할 수 있다. 다만, 동원명령 및 대피명령을 방해하거나 위반하여 발생한 피해에 대하여는 그러하지 아니하다.

1. 자연재난
2. 사회재난 중 특별재난지역으로 선포된 지역의 재난

② 제1항에 따른 재난복구사업의 재원은 대통령령으로 정하는 재난의 구호 및 재난의 복구비용 부담기준에 따라 국고의 부담금 또는 보조금과 지방자치단체의 부담금·의연금 등으로 충당하되, 지방자치단체의 부담금 중 시·도 및 시·군·구가 부담하는 기준은 행정안전부령으로 정한다.

지방자치단체의 재난복구 비용 부담기준

법 제66조제2항에 따른 지방자치단체의 부담금 중 시·도 및 시·군·구가 부담하는 기준은 다음 각 호와 같다.
1. 자연재난: 「재난구호및재난복구비용부담기준등에관한규칙」 제2조에 따른 비율에 따라 부담
2. 사회재난: 시·군·구의 부담률이 50퍼센트를 넘지 아니하는 범위에서 시·도의 조례로 정하는 비율에 따라 부담

---

③ 국가와 지방자치단체는 재난으로 피해를 입은 시설의 복구와 피해주민의 생계 안정을 위하여 다음 각 호의 지원을 할 수 있

다. 다만, 다른 법령에 따라 국가 또는 지방자치단체가 같은 종류의 보상금 또는 지원금을 지급하거나, 제3조제1호나목에 해당하는 재난으로 피해를 유발한 원인자가 보험금 등을 지급하는 경우에는 그 보상금, 지원금 또는 보험금 등에 상당하는 금액은 지급하지 아니한다.

1. 사망자·실종자·부상자 등 피해주민에 대한 구호
2. 주거용 건축물의 복구비 지원
3. 고등학생의 학자금 면제
4. 자금의 융자, 보증, 상환기한의 연기, 그 이자의 감면 등 관계 법령에서 정하는 금융지원
5. 세입자 보조 등 생계안정 지원
5의2. 「소상공인기본법」 제2조에 따른 소상공인에 대한 지원
6. 관계 법령에서 정하는 바에 따라 국세·지방세, 건강보험료·연금보험료, 통신요금, 전기요금 등의 경감 또는 납부유예 등의 간접지원
7. 주 생계수단인 농업·어업·임업·염생산업(鹽生産業)에 피해를 입은 경우에 해당 시설의 복구를 위한 지원
8. 공공시설 피해에 대한 복구사업비 지원
9. 그 밖에 제14조제3항 본문에 따른 중앙재난안전대책본부회의에서 결정한 지원 또는 제16조제2항에 따른 지역재난안전대책본부회의에서 결정한 지원

④ 제3항에 따른 지원의 기준은 제1항 각 호의 어느 하나에 해당하는 재난에 대해서는 대통령령으로 정하고, 사회재난으로서

제60조제2항에 따라 특별재난지역으로 선포되지 아니한 지역의 재난에 대해서는 해당 지방자치단체의 조례로 정한다.

⑤ 국가와 지방자치단체는 재난으로 피해를 입은 사람에 대하여 심리적 안정과 사회 적응을 위한 상담 활동을 지원할 수 있다. 이 경우 구체적인 지원절차와 그 밖에 필요한 사항은 대통령령으로 정한다.

재난피해자에 대한 상담 활동 지원절차

① 행정안전부장관 또는 지방자치단체의 장은 법 제66조제5항에 따라 재난으로 피해를 입은 사람에 대하여 심리적 안정과 사회 적응(이하 "심리회복"이라 한다)을 위한 상담 활동을 체계적으로 지원하기 위하여 다음 각 호의 사항을 포함하는 상담활동지원계획을 수립·시행하여야 한다.
 1. 재난 및 피해 유형별 상담 활동의 세부 지원방안
 2. 상담 활동 지원에 필요한 재원의 확보
 3. 심리회복 전문가 인력 확보 및 유관기관과의 협업체계 구축
 4. 「정신건강증진 및 정신질환자 복지서비스 지원에 관한 법률」 제3조제4호에 따른 정신건강증진시설과의 진료 연계
 5. 상담 활동 지원을 위한 교육·연구 및 홍보
 6. 그 밖에 재난으로 피해를 입은 사람에 대하여 심리회복을 위한 상담 활동 지원에 필요하다고 행정안전부장관 또는 지방자치단체의 장이 필요하다고 인정하는 사항

② 행정안전부장관과 지방자치단체의 장은 다음 각 호의 어느 하나에 해당하는 지역에 대하여는 법 제66조제5항에 따른 상담 활동 지원을 우선적으로 실시할 수 있다.
 1. 법 제60조제2항에 따라 특별재난지역으로 선포된 지역
 2. 제13조 각 호의 어느 하나에 해당하는 재난이 발생한 지역
 <제13조 대규모 재난의 범위 : 법 제14조제1항에서 "대통령령으로 정하는 대규모 재난">

---

⑥ 국가 또는 지방자치단체는 제3항 각 호에 따른 지원의 원인이 되는 사회재난에 대하여 그 원인을 제공한 자가 따로 있는 경우에는 그 원인제공자에게 국가 또는 지방자치단체가 부담한 비용의 전부 또는 일부를 청구할 수 있다.

⑦ 제3항 각 호에 따라 지원되는 금품 또는 이를 지급받을 권리는 양도·압류하거나 담보로 제공할 수 없다.

(6)복구비 등의 선지급

① 지방자치단체의 장은 재난의 신속한 구호 및 복구를 위하여 필요하다고 판단되면 재난의 구호 및 복구를 위하여 지원하는 비용(이하 "복구비등"이라 한다) 중 대통령령으로 정하는 항목에 대해서는 복구계획 수립 전에 미리 지급할 수 있다.

복구비 등의 선지급 비율 등

① 법 제66조의2제1항에서 "대통령령으로 정하는 항목"이란 다음 각 호와 같다.
1. 자연재난의 경우: 「자연재난 구호 및 복구 비용 부담기준 등에 관한 규정」 제4조제1항 제1호가목 및 나목, 같은 항 제2호가목부터 바목까지
2. 사회재난의 경우: 「사회재난 구호 및 복구 비용 부담기준 등에 관한 규정」 제3조제1항제1호

<자연재난 구호 및 복구 비용 부담기준 등에 관한 규정>
재난복구 비용 등의 부담기준

① 법 제66조제1항 및 제2항에 따라 재난구호 및 재난복구 비용 등에 대하여 국고나 지방비 등을 지원하는 대상은 다음 각 호와 같다.

---

1. 이재민 구호를 위한 다음 각 목의 지원

가. 사망자 및 실종자의 유족과 일상생활에 지장을 줄 정도의 부상을 당한 사람에 대한 구호

나. 주택이 소파(小破, 지진피해에 의한 파손에 한정한다. 이하 같다)·반파(半破)·전파(全破)되어 사용이 불가능하거나 침수·유실된 사람의 생계안정을 위한 구호비 지원과 주택이 반파·전파·유실된 피해를 입은 세대(세입자를 포함한다)에 속한 고등학생의 학자금 면제

2. 재난복구사업을 위한 다음 각 목의 지원

가. 주택 복구

나. 농경지 및 염전 복구

다. 농림시설·농작물 및 산림작물의 복구

라. 축산물 증식시설의 복구와 가축 등의 입식(入殖)

마. 어선과 어망·어구의 복구

바. 수산물의 증식 및 양식 시설의 복구와 수산생물의 입식

<사회재난 구호 및 복구 비용 부담기준 등에 관한 규정>
제3조(구호 및 복구 사업 비용의 부담 등)

① 국가는 법 제66조제1항에 따라 다음 각 호의 구호 및 복구 사업에 드는 비용의 전부 또는 일부를 국고에서 부담하거나 지방자치단체 등에 보조한다.

1. 생활안정지원: 사회재난으로 피해를 입은 자(이하 "재난피해자"라 한다)의 생활안정을 위한 다음 각 목의 구호 및 지원

가. 사망자 및 실종자의 유족과 일상생활에 지장을 줄 정도의 부상을 당한 사람에 대한 구호

나. 다음의 어느 하나에 해당하는 경우 해당 가구 구성원에 대한 생계비 지원

1) 가구구성원 중 소득이 가장 많은 사람이 사망·실종 또는 부상을 당하여 소득을 상실한 경우

2) 농업·어업·임업 및 염생산업에 피해를 입은 경우

다. 다음의 어느 하나에 해당하는 사람에 대한 주거비 지원

1) 주택이 파손되거나 유실된 사람

2) 사회재난으로 피해가 예상되어 주거하던 곳에서 주거가 불가능하게 된 사람

3) 재난 수습을 위하여 주된 거주지에서 이주하게 된 사람

라. 주택이 파손되거나 유실된 사람 또는 주된 거주지에서 생활할 수 없게 된 사람에 대한 구호

마. 고등학생의 수업료 면제

② 제1항에 따라 복구비등을 선지급 받으려는 자는 대통령령으로 정하는 바에 따라 재난으로 인한 피해 물량 등에 관하여 신고하여야 한다.

③ 지방자치단체의 장은 제1항에 따라 미리 복구비등을 지급하기 위하여 피해 주민의 주(主) 생계수단을 판단하기 위한 다음 각 호의 사항에 대한 확인을 해당 각 호의 자에게 요청할 수 있다. 이 경우 확인을 요청받은 자는 특별한 사유가 없으면 요청에 따라야 한다.
1. 근로소득 및 사업소득 수준에 관한 사항: 국세청장 또는 관할 세무서장
2. 국민연금공단의 이사장
3. 국민건강보험공단의 이사장

④ 제1항에 따른 복구비등 선지급을 위하여 필요한 선지급의 비율·절차 등에 관한 사항은 대통령령으로 정한다.

(7) 복구비등의 반환

① 국가와 지방자치단체는 복구비등을 받은 자가 다음 각 호의 어느 하나에 해당하는 경우에는 행정안전부령으로 정하는 바에 따라 그 받은 복구비등을 반환하도록 명하여야 한다.

1. 부정한 방법으로 복구비등을 받은 경우
2. 복구비등을 받은 후 그 지급 사유가 소급하여 소멸된 경우
3. 그 밖에 대통령령으로 정하는 사유가 발생한 경우

복구비 등의 반환명령

법 제66조에 따른 재난의 구호 및 복구를 위하여 지원하는 비용(이하 "복구비등"이라 한다)을 직접 지급한 국가기관의 장 또는 지방자치단체의 장은 복구비등을 받은 자가 법 제66조의3제1항 각 호의 어느 하나에 해당하는 경우에는 그 사실을 안 날부터 7일 이내에 별지 제20호의2서식에 따른 복구비등 반납 고지서를 그 당사자에게 발송하여야 한다.

그 밖에 "대통령령으로 정하는 사유"란 다음 각 호의 사유를 말한다.

1. 행정 착오 등으로 인하여 법 제59조에 따른 재난복구계획 및 「자연재해대책법」 제46조에 따른 재해복구계획에 포함되지 아니하였어야 하는 복구비등이 포함된 경우
2. 행정 착오 등으로 인하여 복구비등이 잘못 지급된 경우

---

② 제1항에 따라 반환명령을 받은 자는 즉시 복구비등을 반환하여야 한다.

③ 제2항에 따라 반환하여야 할 반환금을 지정된 기한까지 반환하지 아니하면 국세 체납처분 또는 지방세 체납처분의 예에 따라 징수한다.

④ 제3항에 따른 반환금의 징수는 국세와 지방세를 제외하고는 다른 공과금에 우선한다.

8) 안전문화 진흥

(1) 안전문화 진흥을 위한 시책의 추진

① 중앙행정기관의 장과 지방자치단체의 장은 소관 재난 및 안전 관리업무와 관련하여 국민의 안전의식을 높이고 안전문화를 진흥시키기 위한 다음 각 호의 안전문화활동을 적극 추진하여야 한다.
 1. 안전교육 및 안전훈련(응급상황시의 대처요령을 포함한다)
 2. 안전의식을 높이기 위한 캠페인 및 홍보
 3. 안전행동요령 및 기준·절차 등에 관한 지침의 개발·보급
 4. 안전문화 우수사례의 발굴 및 확산
 5. 안전 관련 통계 현황의 관리·활용 및 공개
 6. 안전에 관한 각종 조사 및 분석
 6의2. 안전취약계층의 안전관리 강화
 7. 그 밖에 안전문화를 진흥하기 위한 활동

② 행정안전부장관은 제1항에 따른 안전문화활동의 추진에 관한 총괄·조정 업무를 관장한다.

③ 국가와 지방자치단체는 국민이 안전문화를 실천하고 체험할 수 있는 안전체험시설을 설치·운영할 수 있다.

④ 국가는 지방자치단체 및 그 밖의 기관·단체에서 추진하는 안전문화활동을 위하여 필요한 예산을 지원할 수 있다.

(2) 국민안전의 날 등

① 국가는 국민의 안전의식 수준을 높이기 위하여 매년 4월 16일을 국민안전의 날로 정하여 필요한 행사 등을 한다.

② 국가는 대통령령으로 정하는 바에 따라 국민의 안전의식 수준을 높이기 위하여 안전점검의 날과 방재의 날을 정하여 필요한 행사 등을 할 수 있다.

> **안전점검의 날 등**
>
> ① 법 제66조의7에 따른 안전점검의 날은 매월 4일로 하고, 방재의 날은 매년 5월 25일로 한다.
> ② 재난관리책임기관은 안전점검의 날에는 재난취약시설에 대한 일제점검, 안전의식 고취 등 안전 관련 행사를 실시하고, 방재의 날에는 자연재난에 대한 주민의 방재의식을 고취하기 위하여 재난에 대한 교육·홍보 등의 관련 행사를 실시한다.

(3) 안전관리헌장

① 국무총리는 재난을 예방하고, 재난이 발생할 경우 그 피해를 최소화하기 위하여 재난 및 안전관리업무에 종사하는 자가 지켜야 할 사항 등을 정한 안전관리헌장을 제정·고시하여야 한다.

② 재난관리책임기관의 장은 제1항에 따른 안전관리헌장을 실천하는 데 노력하여야 하며, 안전관리헌장을 누구나 쉽게 볼 수 있는 곳에 항상 게시하여야 한다.

(4) 안전정보의 구축·활용

① 행정안전부장관은 재난 및 각종 사고로부터 국민의 생명과 신체 및 재산을 보호하기 위하여 다음 각 호의 정보(이하 "안전정보"라 한다)를 수집하여 체계적으로 관리하여야 한다.
1. 재난이나 그 밖의 각종 사고에 관한 통계, 지리정보 및 안전정책에 관한 정보
1의2. 안전취약계층의 재난 및 각종 사고 피해에 관한 통계
2. 제32조제1항에 따른 안전 점검 결과
3. 제32조제4항에 따른 조치 결과
4. 제33조의2제1항부터 제3항까지에 따른 재난관리체계 등에 대한 평가 결과
5. 제55조의2제2항에 따른 긴급구조지원기관의 능력 평가 결과
6. 제69조제1항 및 제2항에 따른 재난원인조사 결과
7. 제69조제5항 후단에 따른 개선권고 등의 조치결과에 관한 정보
8. 그 밖에 재난이나 각종 사고에 관한 정보로서 행정안전부장관이 수집·관리가 필요하다고 인정하는 정보

② 행정안전부장관은 안전정보의 체계적인 관리를 위하여 안전정보통합관리시스템을 구축·운영하여야 한다.

③ 행정안전부장관은 안전정보통합관리시스템을 관계 행정기관 및 국민이 안전수준을 진단하고 개선하는 데 활용할 수 있도록 하여야 한다.

④ 행정안전부장관은 안전정보통합관리시스템을 구축하기 위하여 관계 행정기관의 장에게 필요한 자료를 요청할 수 있다. 이 경우 요청을 받은 관계 행정기관의 장은 특별한 사유가 없으면 요청에 따라야 한다.

안전정보의 수집·관리

행정안전부장관이 관계 행정기관의 장에게 요청할 수 있는 자료는 다음 각 호와 같다.
1. "재난등"의 지역별 통계, 내용 및 지리정보(좌표 또는 주소를 말한다. 이하 같다)
2. 안전관리와 관련하여 행정기관에서 수립한 안전정책에 관한 자료
3. 재난등의 유발, 예방 및 대응활동에 영향을 미치는 시설정보, 지역별 통계, 지리정보
4. 그 밖에 재난등에 관한 안전정보로서 행정안전부장관이 필요하다고 인정하는 정보

---

⑤ 안전정보의 수집·관리, 안전정보통합관리시스템의 구축·활용 등에 필요한 사항은 대통령령으로 정한다.

(5) 안전지수의 공표

① 행정안전부장관은 지역별 안전수준과 안전의식을 객관적으로 나타내는 지수(이하 "안전지수"라 한다)를 개발·조사하여 그 결과를 공표할 수 있다.

② 행정안전부장관은 안전지수의 조사를 위하여 관계 행정기관의 장에게 필요한 자료를 요청할 수 있다. 이 경우 요청을 받은 관계 행정기관의 장은 특별한 사유가 없으면 요청에 따라야 한다.

③ 행정안전부장관은 안전지수의 개발·조사에 관한 업무를 효율적으로 수행하기 위하여 필요한 경우 대통령령으로 정하는 기관 또는 단체로 하여금 그 업무를 대행하게 할 수 있다.

④ 안전지수의 조사 항목, 방법, 공표절차 등 필요한 사항은 대통령령으로 정한다.

안전지수의 조사·공표 등

① 법 제66조의10제1항에 따른 안전지수의 조사 항목은 다음 각 호와 같다.
1. 지역별 재난등의 발생 현황
2. 재난등에 대한 국민의 안전의식
3. 그 밖에 행정안전부장관이 필요하다고 인정하는 사항

② 법 제66조의10제3항에서 "대통령령으로 정하는 기관 또는 단체"란 다음 각 호의 기관 또는 단체를 말한다.
1. 국공립 연구기관
2. 「정부출연연구기관 등의 설립·운영 및 육성에 관한 법률」에 따라 설립된 정부출연연구기관
3. 「고등교육법」에 따른 대학·산업대학·전문대학 및 기술대학
4. 「민법」 또는 다른 법률에 따라 설립된 법인인 연구기관

---

(6) 지역축제 개최 시 안전관리조치

① 중앙행정기관의 장 또는 지방자치단체의 장은 대통령령으로 정하는 지역축제를 개최하려면 해당 지역축제가 안전하게 진행될 수 있도록 지역축제 안전관리계획을 수립하고, 그 밖에 안전관리에 필요한 조치를 하여야 한다.

> **지역축제 개최 시 안전관리조치**
> ① "대통령령으로 정하는 지역축제"란 다음 각 호의 어느 하나에 해당하는 지역축제를 말한다.
> 1. 축제기간 중 순간 최대 관람객이 1천명 이상이 될 것으로 예상되는 지역축제
> 2. 축제장소나 축제에 사용하는 재료 등에 사고 위험이 있는 지역축제로서 다음 각 목의 어느 하나에 해당하는 지역축제
> 가. 산 또는 수면에서 개최하는 지역축제
> 나. 불, 폭죽, 석유류 또는 가연성 가스 등의 폭발성 물질을 사용하는 지역축제

② 행정안전부장관 또는 시·도지사는 제1항에 따른 지역축제 안전관리계획의 이행 실태를 지도·점검할 수 있으며, 점검결과 보완이 필요한 사항에 대해서는 관계 기관의 장에게 시정을 요청할 수 있다. 이 경우 시정 요청을 받은 관계 기관의 장은 특별한 사유가 없으면 요청에 따라야 한다.

③ 중앙행정기관의 장 또는 지방자치단체의 장 외의 자가 대통령령으로 정하는 지역축제를 개최하려는 경우에는 해당 지역축제가 안전하게 진행될 수 있도록 지역축제 안전관리계획을 수립하여 대통령령으로 정하는 바에 따라 관할 시장·군수·구청장에게 사전에 통보하고, 그 밖에 안전관리에 필요한 조치를 하여야 한다. 지역축제 안전관리계획을 변경하려는 때에도 또한 같다.

④ 제3항에 따른 통보를 받은 관할 시장·군수·구청장은 필요하다고 인정되는 때에는 지역축제 안전관리계획에 대하여 보완을 요구할 수 있다. 이 경우 보완을 요구받은 자는 정당한 사유가 없으면 이에 따라야 한다.

⑤ 제1항부터 제4항까지의 규정에 따른 지역축제 안전관리계획의 내용, 수립절차 등 필요한 사항은 대통령령으로 정한다.

---

② 법 제66조의11제1항 및 제3항에 따른 지역축제 안전관리계획(이하 "지역축제 안전관리계획"이라 한다)에는 각각 다음 각 호의 사항이 포함되어야 한다.
1. 지역축제의 개요
2. 축제 장소·시설 등을 관리하는 사람 및 관리조직과 임무에 관한 사항
3. 화재예방 및 인명피해 방지조치에 관한 사항
4. 안전관리인력의 확보 및 배치계획
5. 비상시 대응요령, 담당 기관과 담당자 연락처

③ 법 제66조의11제1항 및 제3항에 따라 지역축제를 개최하려는 자가 지역축제 안전관리계획을 수립하려면 개최지를 관할하는 지방자치단체, 소방서 및 경찰서 등 안전관리 유관기관의 의견을 미리 들어야 한다.

④ 법 제66조의11제3항에 따라 지역축제를 개최하려는 자는 지역축제 안전관리계획을 수립하여 축제 개최일 3주 전까지 관할 시장·군수·구청장에게 제출해야 한다. 이 경우 지역축제 안전관리계획을 변경하려는 경우에는 해당 축제 개최일 7일 전까지 변경된 내용을 제출해야 한다.

⑤ 행정안전부장관은 지역축제 안전관리계획이 효율적으로 수립·관리될 수 있도록 하기 위하여 지역축제 안전관리 매뉴얼을 작성하여 중앙행정기관의 장 또는 지방자치단체의 장에게 통보하고 행정안전부 인터넷 홈페이지 등을 통하여 공개할 수 있다.

⑥ 제1항부터 제5항까지에서 규정한 사항 외에 지역축제 안전관리계획의 세부적인 내용 및 수립절차 등에 관하여 필요한 사항은 행정안전부장관이 정한다.

---

(7) 안전사업지구의 지정 및 지원

① 행정안전부장관은 지역사회의 안전수준을 높이기 위하여 시·군·구를 대상으로 안전사업지구를 지정하여 필요한 지원할 수 있다.

② 제1항에 따른 안전사업지구의 지정기준, 지정절차 등 필요한 사항은 대통령령으로 정한다.

9) 보칙

(1) 재난 및 안전관리를 위한 특별교부세 교부

「지방교부세법」 제9조제1항제2호에 따른 특별교부세는 「지방교부세법」에 따라 행정안전부장관이 교부 등을 행한다. 이 경우 특별교부세의 교부는 지방자치단체의 재난 및 안전관리 수요에 한정한다.

(2) 재난관리기금의 적립 및 운영

① 지방자치단체는 재난관리에 드는 비용에 충당하기 위하여 매년 재난관리기금을 적립하여야 한다.

② 제1항에 따른 재난관리기금의 매년도 최저적립액은 최근 3년 동안의 「지방세법」에 의한 보통세의 수입결산액의 평균연액의 100분의 1에 해당하는 금액으로 한다.

③ 재난관리기금에서 생기는 수입은 그 전액을 재난관리기금에 편입하여야 한다.

④ 제67조제2항에 따른 매년도 최저적립액 중 대통령령으로 정하는 일정 비율 이상은 응급복구 또는 긴급한 조치에 우선적으로 사용하여야 한다.

> **"대통령령으로 정하는 일정 비율"** 이란 해당 연도의 최저적립액의 100분의 21을 말한다.

⑤ 제1항 및 제2항에 따른 재난관리기금의 용도·운용 및 관리에 필요한 사항은 대통령령으로 정한다.

> **재난관리기금의 운용·관리**
>
> ① 시·도지사 및 시장·군수·구청장은 전용 계좌를 개설하여 법 제67조에 따라 매년 적립하는 재난관리기금을 관리하여야 한다.
>
> ② 시·도지사 및 시장·군수·구청장은 법 제67조제2항에 따른 매년도 최저적립액(이하 "최저적립액"이라 한다)의 100분의 15 이상의 금액(이하 이 조에서 "의무예치금액"이라 한다)을 금융회사 등에 예치하여 관리하여야 한다. 다만, 의무예치금액의 누적 금액이 해당 연도를 기준으로 법 제67조제2항에 따른 매년도 최저적립액의 10배를 초과한 경우에는 해당 연도의 의무예치금액을 매년도 최저적립액의 100분의 5로 낮추어 예치할 수 있다

(3) 재난원인조사

① 행정안전부장관은 재난이나 그 밖의 각종 사고의 발생 원인과 재난 발생 시 대응과정에 관한 조사·분석·평가(제34조의5제1항에 따른 위기관리 매뉴얼의 준수 여부에 대한 평가를 포함한다. 이하 "재난원인조사"라 한다)가 필요하다고 인정하는 경우 직접 재난원인조사를 실시하거나, 재난관리책임기관의 장으로 하여금 재난원인조사를 실시하고 그 결과를 제출하게 할 수 있다.

② 행정안전부장관은 다음 각 호의 어느 하나에 해당하는 재난의 경우에는 재난안전 분야 전문가 및 전문기관 등이 공동으로 참여하는 정부합동 재난원인조사단(이하 "재난원인조사단"이라 한다)을 편성하고, 이를 현지에 파견하여 재난원인조사를 실시할 수

있다.

1. 인명 또는 재산의 피해 정도가 매우 크거나 재난의 영향이 사회적·경제적으로 광범위한 재난으로서 대통령령으로 정하는 재난

2. 제1호에 따른 재난에 준하는 재난으로서 행정안전부장관이 체계적인 재난원인조사가 필요하다고 인정하는 재난

재난원인조사 등

① "대통령령으로 정하는 재난"이란 다음 각 호의 재난을 말한다.

1. 특별재난지역을 선포하게 한 재난

2. 중앙재난안전대책본부, 지역재난안전대책본부 또는 중앙사고수습본부를 구성·운영하게 한 재난

3. 반복적으로 발생하는 재난으로서 행정안전부장관이 재발 방지를 위하여 재난원인조사가 필요하다고 판단하는 재난

---

③ 재난원인조사단은 대통령령으로 정하는 바에 따라 재난원인조사 결과를 조정위원회에 보고하여야 한다.

---

⑦ 재난원인조사단은 법 제69조제3항에 따라 이 조 제6항에 따른 조사결과 보고서 작성을 완료한 날부터 3개월 이내에 그 결과를 조정위원회에 보고하여야 한다.

---

④ 행정안전부장관은 재난원인조사를 위하여 필요하면 관계 기관의 장 또는 관계인에게 소속직원의 파견(관계 기관의 장에 대한 요청의 경우로 한정한다), 관계 서류의 열람 및 자료제출 등의 요청을 할 수 있다. 이 경우 요청을 받은 관계 기관의 장 또는 관계인은 특별한 사유가 없으면 요청에 따라야 한다.

⑤ 행정안전부장관은 제1항 및 제2항에 따라 실시한 재난원인조사 결과 개선 등이 필요한 사항에 대해서는 관계 기관의 장에게

그 결과를 통보하거나 개선권고 등의 필요한 조치를 요청할 수 있다. 이 경우 요청을 받은 관계 기관의 장은 대통령령으로 정하는 바에 따라 개선권고 등에 따른 조치계획과 조치결과를 행정안전부장관에게 통보하여야 한다.

> ⑧ 법 제69조제5항에 따라 개선권고를 받은 관계 기관의 장은 1개월 이내에 다음 각 호의 내용을 포함한 조치계획을 행정안전부장관에게 서면으로 통보하여야 한다.
> 1. 개선권고 사항별 추진계획
> 2. 개선권고 이행에 필요한 제도개선·재원확보 계획
>
> ⑨ 행정안전부장관은 법 제69조제5항에 따라 관계 기관의 장에게 개선권고한 사항에 관하여 매년 그 조치결과를 점검·확인하고, 점검·확인 결과 미흡한 사항에 대하여 시정 또는 보완 등을 요구할 수 있다.

⑥ 행정안전부장관은 재난원인조사단의 재난원인조사 결과를 신속히 국회 소관 상임위원회에 제출·보고하여야 한다.

⑦ 재난원인조사단의 권한, 편성 및 운영 등에 필요한 사항은 대통령령으로 정한다.

> **재난원인조사 등**
>
> ② 법 제69조제2항에 따른 정부합동 재난원인조사단(이하 "재난원인조사단"이라 한다)은 재난원인조사단의 단장(이하 "조사단장"이라 한다)을 포함한 10명 내외의 조사단원으로 편성한다.
>
> ③ 행정안전부장관은 다음 각 호의 사람 중에서 조사단원을 선발하고, 조사단원 중에서 조사단장을 지명한다.
> 1. 행정안전부 소속 재난 및 안전관리 업무 담당 공무원
> 2. 관계 중앙행정기관 소속 재난 및 안전관리 업무 담당 공무원 중에서 해당 중앙행정기관

의장이 추천하는 공무원

3. 국립재난안전연구원에서 해당 재난 및 사고 분야의 업무를 담당하는 연구원

4. 발생한 재난 및 사고 분야에 대하여 학식과 경험이 풍부한 사람

5. 그 밖에 재난원인조사의 공정성 및 전문성을 확보하기 위하여 행정안전부
장관이 필요하다고 인정하는 사람

④ 조사단장은 조사단원을 지휘하고, 조사단 운영을 총괄한다.

⑤ 재난원인조사는 예비조사와 심층조사로 구분하여 실시할 수 있으며, 심층
조사의 경우 조사단장은 재난발생지역 지방자치단체 또는 관계 기관 등에 정
밀분석을 하도록 하거나 관계 기관과 합동으로 조사 또는 연구를 실시할 수
있다.

⑥ 재난원인조사단은 최종적인 조사를 마쳤을 때에는 다음 각 호의 사항을
포함한 조사결과보고서를 작성하여야 하고, 조사결과의 공정성 및 신뢰성을
확보하기 위하여 지방자치단체, 관계 기관 및 관계 전문가 등을 참여시켜 그
조사결과보고서를 검토하게 할 수 있다.

1. 조사목적, 피해상황 및 현장정보

2. 현장조사 내용

3. 재난원인 분석 내용

4. 재난대응과정에 대한 조사·분석·평가(법 제34조의5제1항에 따른 위기관
리 매뉴얼의 준수 여부에 대한 평가를 포함한다)에 대한 내용

5. 권고사항 및 개선대책 등 조치사항

6. 그 밖에 재난의 재발방지 등을 위하여 필요한 내용

(4) 재난상황의 기록관리

① 재난관리책임기관의 장은 다음 각 호의 사항을 기록하고, 이를 보관하여야 한다. 이 경우 시장·군수·구청장을 제외한 재난관리책임기관의 장은 그 기록사항을 시장·군수·구청장에게 통보하여야 한다.

1. 소관 시설·재산 등에 관한 피해상황을 포함한 재난상황

1의2. 재난 발생 시 대응과정 및 조치사항

2. 제69조제1항에 따른 재난원인조사(재난관리책임기관의 장이 실시한 재난원인조사에 한정한다) 결과

3. 제69조제5항 후단에 따른 개선권고 등의 조치결과

4. 그 밖에 재난관리책임기관의 장이 기록·보관이 필요하다고 인정하는 사항

② 행정안전부장관은 매년 재난상황 등을 기록한 재해연보 또는 재난연감을 작성하여야 한다.

③ 행정안전부장관은 제2항에 따른 재해연보 또는 재난연감을 작성하기 위하여 필요한 경우 재난관리책임기관의 장에게 관련 자료의 제출을 요청할 수 있다. 이 경우 요청을 받은 재난관리책임기관의 장은 요청에 적극 협조하여야 한다.

④ 재난관리주관기관의 장은 제14조에 따른 대규모 재난과 제60조에 따라 특별재난지역으로 선포된 사회재난 또는 재난상황 등을 기록하여 관리할 특별한 필요성이 인정되는 재난에 관하여 재

난수습 완료 후 수습상황과 재난예방 및 피해를 줄이기 위한 제도 개선의견 등을 기록한 재난백서를 작성하여야 한다. 이 경우 관계 기관의 장이 재난대응에 참고할 수 있도록 재난백서를 통보하여야 한다.

⑤ 재난관리주관기관의 장은 제4항에 따른 재난백서를 신속히 국회 소관 상임위원회에 제출·보고하여야 한다.

⑥ 재난상황의 작성·보관 및 관리에 필요한 사항은 대통령령으로 정한다.

재난상황의 기록 관리

① 재난관리책임기관의 장은 피해시설물별로 다음 각 호의 사항이 포함된 재난상황의 기록을 작성·보관 및 관리하여야 한다.
1. 피해상황 및 대응 등
  가. 피해일시 및 피해지역
  나. 피해원인, 피해물량 및 피해금액
  다. 동원 인력·장비 등 응급조치 내용
  라. 피해지역 사진 및 도면·위치 정보
  마. 인명피해 상황 및 피해주민 대처 상황
  바. 자원봉사자 등의 활동 사항
2. 복구상황
  가. 자체복구계획 또는 재난복구계획에 따라 시행하는 사업의 종류별 복구물량 및 복구금액의 산출내용
  나. 복구공사의 명칭·위치, 공사발주 및 복구추진 현황
3. 그 밖에 미담·모범사례 등 기록으로 작성하여 보관·관리할 필요가 있는 사항

② 시·도지사 및 시장·군수·구청장은 제1항에 따라 작성된 재난상황의 기록

> 을 재난복구가 끝난 해의 다음 해부터 5년간 보관하여야 한다.
>
> ③ 재해연보 및 재난연감은 책자 형태 또는 전자적 형태의 기록물로 발행할 수 있으며, 발행한 재해연보 및 재난연감은 관계 재난관리책임기관의 장에게 송부하거나 전자적 방법으로 게시하여 열람할 수 있도록 하여야 한다.

(5) 재난 및 안전관리에 필요한 과학기술의 진흥 등

① 정부는 재난 및 안전관리에 필요한 연구·실험·조사·기술개발(이하 "연구개발사업"이라 한다) 및 전문인력 양성 등 재난 및 안전관리 분야의 과학기술 진흥시책을 마련하여 추진하여야 한다.

② 행정안전부장관은 연구개발사업을 하는 데에 드는 비용의 전부 또는 일부를 예산의 범위에서 출연금으로 지원할 수 있다.

③ 행정안전부장관은 연구개발사업을 효율적으로 추진하기 위하여 다음 각 호의 어느 하나에 해당하는 기관·단체 또는 사업자와 협약을 맺어 연구개발사업을 실시하게 할 수 있다.
1. 국공립 연구기관
2. 「특정연구기관 육성법」에 따른 특정연구기관
3. 「과학기술분야 정부출연연구기관 등의 설립·운영 및 육성에 관한 법률」에 따라 설립된 과학기술분야 정부출연연구기관
4. 「고등교육법」에 따른 대학·산업대학·전문대학 및 기술대학
5. 「민법」 또는 다른 법률에 따라 설립된 법인으로서 재난 또는 안전 분야의 연구기관
6. 「기초연구진흥 및 기술개발지원에 관한 법률」 제14조의2제1항

에 따라 인정받은 기업부설연구소 또는 기업의 연구개발전담부서

④ 행정안전부장관은 연구개발사업을 효율적으로 추진하기 위하여 행정안전부 소속 연구기관이나 그 밖에 대통령령으로 정하는 기관·단체 또는 사업자 중에서 연구개발사업의 총괄기관을 지정하여 그 총괄기관에게 연구개발사업의 기획·관리·평가, 제3항에 따른 협약의 체결, 개발된 기술의 보급·진흥 등에 관한 업무를 하도록 할 수 있다.

연구개발사업의 총괄기관
"대통령령으로 정하는 기관·단체 또는 사업자"란 다음 각 호의 어느 하나에 해당하는 기관·단체 또는 사업자를 말한다.
1. 국립재난안전연구원
2. 국공립 연구기관
3. 대학·산업대학·전문대학 및 기술대학
4. 「민법」 또는 다른 법률에 따라 설립된 법인으로서 재난 또는 안전 분야의 연구기관

⑤ 제2항에 따른 출연금의 지급·사용 및 관리와 제3항에 따른 협약의 체결방법 등 연구개발사업의 실시에 필요한 사항은 대통령령으로 정한다.

(6) 재난 및 안전관리기술개발 종합계획의 수립 등

① 행정안전부장관은 재난 및 안전관리에 관한 과학기술의 진흥을 위하여 5년마다 관계 중앙행정기관의 재난 및 안전관리기술개발에 관한 계획을 종합하여 조정위원회의 심의와 「국가과학기술자문회의법」에 따른 국가과학기술자문회의의 심의를 거쳐 재

난 및 안전관리기술개발 종합계획(이하 "개발계획"이라 한다)을 수립하여야 한다.

② 관계 중앙행정기관의 장은 개발계획에 따라 소관 업무에 관한 해당 연도 시행계획을 수립하고 추진하여야 한다.

③ 개발계획 및 시행계획에 포함하여야 할 사항 및 계획수립의 절차 등에 관하여는 대통령령으로 정한다.

재난 및 안전기술개발 종합계획의 수립

① 재난 및 안전관리기술개발 종합계획(이하 "개발계획"이라 한다)에는 다음 각 호의 사항이 포함되어야 한다.
1. 국가안전관리기본계획에 기초한 재난·안전기술 수준의 현황과 장기 전망
2. 재난·안전기술의 단계별 개발목표와 이를 달성하기 위한 대책
3. 재난·안전기술의 경쟁력 강화 등 재난·안전산업의 활성화 방안
4. 정부가 추진하는 재난·안전기술 개발에 관한 사업의 연도별 투자 및 추진 계획
5. 학교·학술단체·연구기관 등에 대한 재난·안전기술의 연구 지원
6. 재난·안전기술정보의 수집·분류·가공 및 보급
7. 산·학·연·정 협동연구 및 국제 재난·안전기술 협력을 촉진할 수 있는 방안
8. 그 밖에 재난·안전기술의 개발과 재난·안전산업의 육성

② 행정안전부장관은 개발계획의 수립을 위하여 관계 중앙행정기관의 장에게 소관 분야의 재난·안전기술 현황 및 예측 자료를 요청하거나 재난·안전기술 개발에 관한 계획의 수립 등을 요청할 수 있다.

③ 행정안전부장관은 제2항에 따라 제공받은 자료 또는 계획 등을 종합하여 개발계획을 작성한 후 「국가과학기술자문회의법」에 따른 국가과학기술자문회의의 심의를 거쳐 확정한다.

재난 및 안전기술개발 시행계획의 수립

---

① 관계 중앙행정기관의 장이 수립하는 시행계획에는 다음 각 호의 사항이 포함되어야 한다.
1. 개발계획에 따른 연구개발사업의 구체적인 추진계획
2. 전년도 연구개발사업의 추진 실적 및 성과
3. 해당 연도 연구개발사업의 추진 과제 및 계획

② 관계 중앙행정기관의 장은 매년 12월 31일까지 법 제71조의2제2항에 따른 시행계획을 수립하여 행정안전부장관에게 통보하여야 한다.

③ 행정안전부장관은 제2항에 따라 통보받은 관계 중앙행정기관의 시행계획을 종합하여 「국가과학기술자문회의법」에 따른 국가과학기술자문회의에 보고하여야 한다.

(7) 연구개발사업 성과의 사업화 지원

① 행정안전부장관은 연구개발사업의 성과를 사업화하는 「중소기업기본법」 제2조에 따른 중소기업(이하 "중소기업"이라 한다)이나 그 밖의 법인 또는 사업자 등에 대하여 다음 각 호의 지원을 할 수 있다. 이 경우 중소기업에 대한 지원을 우선적으로 실시할 수 있다.
1. 시제품(試製品)의 개발·제작 및 설비투자에 필요한 비용의 지원
2. 연구개발사업의 성과로 발생한 특허권 등 지식재산권의 전용실시권(專用實施權) 또는 통상실시권(通常實施權)의 설정·허락 또는 그 알선
3. 사업화로 생산된 재난 및 안전 관련 제품 등의 우선 구매
4. 연구개발사업에 사용되거나 생산된 기기·설비 및 시제품 등의 사용권 부여 또는 그 알선

5. 그 밖에 사업화를 위하여 필요한 사항으로서 행정안전부령으로 정하는 사항

② 제1항에 따른 지원의 방법 및 절차 등에 관하여 필요한 사항은 대통령령으로 정한다.

(8) 재난관리정보통신체계의 구축·운영

① 행정안전부장관과 재난관리책임기관·긴급구조기관 및 긴급구조지원기관의 장은 재난관리업무를 효율적으로 추진하기 위하여 대통령령으로 정하는 바에 따라 재난관리정보통신체계를 구축·운영할 수 있다.

재난관리정보통신체계의 구축·운영

① 법 제74조제1항에 따라 행정안전부장관과 재난관리책임기관·긴급구조기관 및 긴급구조지원기관의 장이 구축·운영하는 재난관리정보통신체계는 다음 각 호의 사항을 갖추어야 한다.
1. 재난 및 안전관리업무를 수행하기 위한 표준화된 정보시스템과 정보통신망 및 운영·관리 체계
2. 재난안전상황실의 효율적인 운영을 위하여 필요한 정보시스템과 정보통신망
3. 그 밖에 행정안전부장관이 재난관리정보통신체계 구축·운영을 위하여 필요하다고 인정하는 사항

---

② 재난관리책임기관·긴급구조기관 및 긴급구조지원기관의 장은 제1항에 따른 재난관리정보통신체계의 구축에 필요한 자료를 관계 재난관리책임기관·긴급구조기관 및 긴급구조지원기관의 장에게 요청할 수 있다. 이 경우 요청을 받은 기관의 장은 특별한 사유가 없으면 요청에 따라야 한다.

③ 행정안전부장관은 재난관리책임기관·긴급구조기관 및 긴급구조지원기관의 장이 제1항에 따라 구축하는 재난관리정보통신체계가 연계 운영되거나 표준화가 이루어지도록 종합적인 재난관리정보통신체계를 구축·운영할 수 있으며, 재난관리책임기관·긴급구조기관 및 긴급구조지원기관의 장은 특별한 사유가 없으면 이에 협조하여야 한다.

(9) 재난관리정보의 공동이용

① 재난관리책임기관·긴급구조기관 및 긴급구조지원기관은 재난관리업무를 효율적으로 처리하기 위하여 수집·보유하고 있는 재난관리정보를 다른 재난관리책임기관·긴급구조기관 및 긴급구조지원기관과 공동이용하여야 한다.

② 제1항에 따라 공동이용되는 재난관리정보를 제공하는 기관은 해당 정보의 정확성을 유지하도록 노력하여야 한다.

③ 재난관리정보의 처리를 하는 재난관리책임기관·긴급구조기관·긴급구조지원기관 또는 재난관리업무를 위탁받아 그 업무에 종사하거나 종사하였던 자는 직무상 알게 된 재난관리정보를 누설하거나 권한 없이 다른 사람이 이용하도록 제공하는 등 부당한 목적으로 사용하여서는 아니 된다.

④ 제1항에 따른 공유 대상 재난관리정보의 범위, 재난관리정보의 공동이용절차 등에 관하여 필요한 사항은 대통령령으로 정한다.

(10) 정보 제공 요청 등

① 중앙대책본부장 또는 지역대책본부장은 신속한 재난 대응을 위하여 필요한 경우 재난으로 인하여 생명·신체에 대한 피해를 입은 사람과 생명·신체에 대한 피해 발생이 우려되는 사람(이하 "재난피해자등"이라 한다)에 대한 다음 각 호에 해당하는 정보의 제공을 관계 중앙행정기관(그 소속기관 및 책임운영기관을 포함한다)의 장, 지방자치단체의 장, 「공공기관의 운영에 관한 법률」 제4조에 따른 공공기관의 장, 「전기통신사업법」 제2조제8호에 따른 전기통신사업자, 그 밖의 법인·단체 또는 개인에게 요청할 수 있으며, 요청을 받은 자는 정당한 사유가 없으면 이에 따라야 한다.

1. 성명, 주민등록번호, 주소 및 전화번호(휴대전화번호를 포함한다)
2. 재난피해자등의 이동경로 파악 및 수색·구조를 위한 다음 각 목의 정보
가. 「개인정보 보호법」 제2조제7호에 따른 고정형 영상정보처리기기를 통하여 수집된 정보
나. 「대중교통의 육성 및 이용촉진에 관한 법률」 제2조제6호에 따른 교통카드의 사용명세
다. 「여신전문금융업법」 제2조제3호·제6호 및 제8호에 따른 신용카드·직불카드·선불카드의 사용일시, 사용장소(재난 발생 지역 및 그 주변 지역에서 사용한 내역으로 한정한다)
라. 「의료법」 제17조에 따른 처방전의 의료기관 명칭, 전화번호 및 같은 법 제22조에 따른 진료기록부상의 진료일시

② 중앙대책본부장 또는 지역대책본부장은 재난피해자등의 「위치정보의 보호 및 이용 등에 관한 법률」 제2조제2호에 따른 개인위치정보의 제공을 「전기통신사업법」 제2조제8호에 따른 전기통신사업자와 「위치정보의 보호 및 이용 등에 관한 법률」 제2조제6호에 따른 위치정보사업을 하는 자에게 요청할 수 있고, 요청을 받은 자는 「통신비밀보호법」 제3조에도 불구하고 정당한 사유가 없으면 이에 따라야 한다.

③ 중앙대책본부장 또는 지역대책본부장은 제1항 및 제2항에 따라 수집된 정보를 관계 재난관리책임기관·긴급구조기관·긴급구조지원기관, 그 밖에 재난 대응 관련 업무를 수행하는 기관에 제공할 수 있다.

④ 중앙대책본부장 또는 지역대책본부장은 제1항 및 제2항에 따라 수집된 정보의 주체에게 다음 각 호의 사실을 통지하여야 한다.
1. 재난 대응을 위하여 필요한 정보가 수집되었다는 사실
2. 제1호의 정보가 다른 기관에 제공되었을 경우 그 사실
3. 수집된 정보는 이 법에 따른 재난 대응 관련 업무 이외의 목적으로 사용할 수 없으며, 업무 종료 시 지체 없이 파기된다는 사실

⑤ 누구든지 제1항 및 제2항에 따라 수집된 정보를 이 법에 따른 재난 대응 이외의 목적으로 사용할 수 없으며, 업무 종료 시 지체 없이 해당 정보를 파기하여야 한다.

⑥ 제1항 및 제2항에 따라 수집된 정보의 보호 및 관리에 관한 사항은 이 법에서 정한 것을 제외하고는 「개인정보 보호법」에 따른다.

⑦ 행정안전부장관 또는 지방자치단체의 장은 특정 지역에서 다중운집으로 인하여 재난이나 각종 사고가 발생하거나 발생할 우려가 있는 경우 해당 지역에 있는 불특정 다수인의 기지국(「전파법」 제2조제1항제6호에 따른 무선국 중 기지국을 말한다) 접속 정보의 제공을 제2항에 따른 전기통신사업자 또는 위치정보 사업을 하는 자에게 요청할 수 있고, 요청을 받은 자는 정당한 사유가 없으면 이에 따라야 한다.

⑧ 행정안전부장관 또는 지방자치단체의 장은 제7항에 따라 수집된 정보를 관계 재난관리책임기관·긴급구조기관·긴급구조지원기관, 그 밖에 재난 대응 관련 업무를 수행하는 기관에 제공할 수 있다. 다만, 재난 대응 관련 업무를 수행하는 데 필요하여 해당 기관의 장이 제7항에 따라 수집된 정보의 제공을 요청하는 경우 행정안전부장관 또는 지방자치단체의 장은 특별한 사유가 없으면 그 요청에 따라야 한다.

⑨ 제2항에 따른 개인위치정보 및 제7항에 따른 기지국 접속 정보의 제공을 요청하는 방법 및 절차, 제3항 및 제8항에 따른 정보 제공의 대상·범위 및 제4항에 따른 통지의 방법 등에 필요한 사항은 대통령령으로 정한다.

정보 제공 요청 방법 등

① 다음 각 호의 어느 하나에 해당하는 정보의 제공을 요청하는 경우에는 정보제공 요청서를 작성하여 전자우편, 팩스 또는 정보시스템 등을 통하여 요청해야 한다.
1. 중앙대책본부장 또는 지역대책본부장이 법 제74조의3제1항 또는 제2항에 따라 정보의 제공을 요청하는 경우
2. 행정안전부장관 또는 지방자치단체의 장이 법 제74조의3제7항에 따라 정보의 제공을 요청하는 경우

② 법 제74조의3제1항·제2항 또는 제7항에 따라 정보 제공 요청을 받은 자는 전자우편, 팩스 또는 정보시스템 등 정보의 제공을 요청한 중앙대책본부장, 지역대책본부장, 행정안전부장관 또는 지방자치단체의 장이 지정하는 방식으로 정보를 제공해야 한다.

③ 중앙대책본부장 또는 지역대책본부장은 법 제74조의3제1항 및 제2항에 따라 수집된 정보를 같은 조 제3항에 따라 다음 각 호의 기관에 제공할 수 있다. 이 경우 정보를 제공받는 기관의 정보시스템을 활용할 수 있다.
1. 재난관리책임기관
2. 긴급구조기관
3. 긴급구조지원기관
4. 그 밖에 재난 대응 관련 업무를 수행하는 기관으로서 행정안전부장관이 정하여 고시하는 기관

④ 행정안전부장관 또는 지방자치단체의 장은 법 제74조의7제7항에 따라 수집된 정보를 같은 조 제8항에 따라 이 조 제3항 각 호의 기관에 제공할 수 있다. 이 경우 정보를 제공받는 기관의 정보시스템을 활용할 수 있다.

⑤ 중앙대책본부장, 지역대책본부장 또는 법 제74조의3제3항에 따라 정보를 제공받는 기관의 장은 같은 조 제1항 및 제2항에 따라 수집된 정보에 접근할 수 있거나 이를 이용할 수 있는 인원을 최소한으로 제한해야 한다.

⑥ 법 제74조의3제1항 및 제2항에 따라 수집된 정보를 이용하는 자는 다음

각 호의 사항을 준수해야 한다.

1. 제3자의 권리를 침해하거나 범죄 등의 불법행위를 할 목적으로 정보를 이용하지 않을 것

2. 정보를 제3자에게 임의로 제공하거나 유출하지 않을 것

3. 정보를 위조하거나 변조하지 않을 것

4. 정보가 분실되거나 도난되지 않도록 안전성 확보에 필요한 조치를 할 것

5. 정보를 안전하게 저장 및 전송할 수 있도록 암호화 조치를 할 것

6. 악성프로그램 등을 방지하고 치료할 수 있는 보안프로그램을 설치하고 운영할 것

7. 정보의 수집, 이용, 제공 및 파기에 관한 사항을 기록하고 보존할 것

⑦ 법 제74조의3제4항에 따른 통지는 전자우편·팩스·전화 또는 이와 유사한 방법 중 어느 하나의 방법으로 해야 한다.

⑧ 행정안전부장관은 제1항부터 제7항까지에서 규정한 사항 외에 정보의 요청, 제공 및 이용 등에 필요한 사항을 정하여 고시할 수 있다.

(11) 재난안전데이터의 수집 등

① 행정안전부장관은 데이터에 기반한 재난 및 안전관리를 위하여 재난안전데이터의 수집·연계·분석·활용·공유·공개(이하 "수집등"이라 한다)를 하여야 한다.

② 행정안전부장관은 효율적인 재난안전데이터의 수집등을 위하여 재난안전데이터통합관리시스템을 구축·운영할 수 있다.

③ 행정안전부장관은 재난안전데이터의 수집등을 위하여 재난관리책임기관의 장에게 필요한 데이터의 제공을 요청할 수 있다. 이 경우 요청을 받은 재난관리책임기관의 장은 특별한 사유가 없으면 이에 따라야 한다.

④ 행정안전부장관은 재난안전데이터의 수집등 및 관련 전문인력의 양성, 재난안전데이터통합관리시스템의 구축·운영 등을 위하여 재난안전데이터센터를 설치·운영할 수 있다.

⑤ 제1항부터 제4항까지에 따른 재난안전데이터의 수집등, 재난안전데이터통합관리시스템의 구축·운영, 데이터 제공의 대상·범위 및 재난안전데이터센터의 설치·운영 등에 필요한 사항은 대통령령으로 정한다.

재난안전데이터통합관리시스템의 운영 등

① 재난관리책임기관의 장은 법 제74조의4제3항에 따라 재난안전데이터를

제공하는 경우에는 같은 조 제2항에 따른 재난안전데이터통합관리시스템(이하 "재난안전데이터통합관리시스템"이라 한다)을 통해 제공할 수 있다.

② 재난관리책임기관의 장은 법 제74조의4제3항에 따라 재난안전데이터를 제공하는 경우에는 그 데이터의 최신성 및 정확성이 유지되도록 해야 한다.

③ 행정안전부장관은 법 제74조의4제3항에 따라 제공받은 재난안전데이터에 대하여 오류의 시정이 필요한 경우에는 해당 재난관리책임기관의 장에게 그 시정을 요청할 수 있다.

(12) 안전관리자문단의 구성·운영

① 지방자치단체의 장은 재난 및 안전관리업무의 기술적 자문을 위하여 민간전문가로 구성된 안전관리자문단을 구성·운영할 수 있다.

② 제1항에 따른 안전관리자문단의 구성과 운영에 관하여는 해당 지방자치단체의 조례로 정한다.

(13) 안전책임관

① 국가기관과 지방자치단체의 장은 해당 기관의 재난 및 안전관리업무를 총괄하는 안전책임관 및 담당직원을 소속 공무원 중에서 임명할 수 있다.

② 안전책임관은 해당 기관의 재난 및 안전관리업무와 관련하여 다음 각 호의 사항을 담당한다.

1. 재난이나 그 밖의 각종 사고가 발생하거나 발생할 우려가 있는 경우 초기대응 및 보고에 관한 사항
2. 위기관리 매뉴얼의 작성·관리에 관한 사항
3. 재난 및 안전관리와 관련된 교육·훈련에 관한 사항
4. 그 밖에 해당 중앙행정기관의 장이 재난 및 안전관리업무를 위하여 필요하다고 인정하는 사항

③ 제1항에 따른 안전책임관의 임명 및 운영에 필요한 사항은 대통령령으로 정한다.

안전책임관의 임명 및 운영

① 안전책임관은 해당 기관에서 재난 및 안전관리 업무를 실질적으로 총괄·관리하는 직위에 있는 사람으로 임명하며, 필요한 경우에는 여러 명을 임명할 수 있다.

② 제1항에 따른 안전책임관은 다음 각 호의 업무를 수행한다.
1. 재난 및 안전관리 연간 활동계획의 수립 및 평가에 관한 사항
2. 재난·안전사고 모니터링 및 경보시스템 구축·운영 지원에 관한 사항
3. 재난·안전사고 예방을 위한 안전성 진단에 관한 사항
4. 재난 및 안전관리 유관기관, 민간 등과의 협력체제 구축에 관한 사항
5. 재난 및 안전관리 관련 정보의 공개·활용 등에 관한 사항
6. 재난·안전사고 통계의 기록 및 관리에 관한 사항

③ 해당 기관의 장이 안전책임관을 임명 또는 변경하였을 때에는 그 사실을 행정안전부장관에게 통보하여야 한다.

④ 제1항부터 제3항까지에서 규정한 사항 외에 안전책임관의 운영에 필요한 사항은 행정안전부장관이 정한다.

---

(14) 재난안전 관련 보험·공제의 개발·보급 등

① 국가는 국민과 지방자치단체가 자기의 책임과 노력으로 재난이나 그 밖의 각종 사고에 대비할 수 있도록 재난안전 관련 보험 또는 공제를 개발·보급하기 위하여 노력하여야 한다.

② 국가는 대통령령으로 정하는 바에 따라 예산의 범위에서 보험료·공제회비의 일부 및 보험·공제의 운영과 관리 등에 필요한 비용의 일부를 지원할 수 있다.

(15) 재난안전의무보험에 관한 법령이 갖추어야 할 기준 등

① 재난안전의무보험에 관한 법령을 주관하는 중앙행정기관의 장은 재난안전의무보험에 관한 법령을 제정·개정하는 경우에는 해당 법령에 다음 각 호의 기준이 적정하게 반영되도록 노력하여야 한다.
1. 재난이나 그 밖의 각종 사고로 인한 사람의 생명·신체에 대한 손해를 적절히 보상하도록 대통령령으로 정하는 수준의 보상 한도를 정할 것
2. 법률에 따른 재난안전의무보험의 가입의무자를 신속히 확인하고 관리할 수 있는 체계를 갖출 것
3. 법률에 따른 재난안전의무보험의 가입의무자에 해당함에도 가입을 게을리 한 자 또는 가입하지 아니한 자 등에 대하여 가입을 독려하거나 제재할 수 있는 방안을 마련할 것

4. 보험회사, 공제회 등 재난안전의무보험에 관한 법령에 따라 재난안전의무보험 관련 사업을 하는 자(이하 "보험사업자"라 한다)가 대통령령으로 정하는 정당한 사유 없이 재난안전의무보험에 대한 가입 요청 또는 계약 체결을 거부하거나 보험계약 등을 해제·해지하는 것을 제한하도록 할 것

5. 재난이나 그 밖의 각종 사고의 발생 위험이 높은 가입의무자에 대하여 다수의 보험사업자가 공동으로 재난안전의무보험 계약을 체결할 수 있는 방안을 마련할 것

6. 재난이나 그 밖의 각종 사고로 피해를 입은 자가 최소한의 생활을 유지할 수 있도록 보험금 청구권에 대한 압류금지 등 피해자를 보호하는 조치를 마련할 것

7. 그 밖에 재난안전의무보험의 적절한 운용을 위하여 대통령령으로 정하는 기준을 갖출 것

② 행정안전부장관은 재난안전의무보험의 관리·운용 등에 공통적으로 적용될 수 있는 업무기준을 마련할 수 있다.

(16) 재난안전의무보험의 평가 및 개선권고 등

① 행정안전부장관은 재난안전의무보험에 관한 법령과 재난안전의무보험의 관리·운용 등이 제76조의2제1항에 따른 기준에 적합한지 등을 분석·평가하기 위하여 필요한 경우에는 재난안전의무보험 관련 법령을 주관하거나 재난안전의무보험의 운용을 주관하는 중앙행정기관의 장 등에게 관련 자료의 제출을 요청할 수 있다. 이 경우 자료의 제출을 요청받은 중앙행정기관의 장 등은

특별한 사유가 없으면 이에 따라야 한다.

② 행정안전부장관은 제1항에 따른 재난안전의무보험 등의 분석·평가 결과 해당 재난안전의무보험 등이 제76조의2제1항에 따른 기준에 적합하지 아니하다고 인정하는 경우에는 재난안전의무보험 관련 법령을 주관하거나 재난안전의무보험의 운용을 주관하는 중앙행정기관의 장 등에게 관련 법령의 개정권고, 재난안전의무보험의 관리·운용에 대한 개선권고 등을 할 수 있다.

③ 행정안전부장관은 제2항에 따른 관련 법령의 개정권고 및 재난안전의무보험의 관리·운용에 대한 개선권고에 관한 사항이 효과적으로 추진될 수 있도록 재난안전의무보험에 관한 법령을 주관하는 중앙행정기관의 장으로부터 재난안전의무보험 제도개선에 관한 계획을 제출받아 이를 종합한 정비계획(이하 "정비계획"이라 한다)을 수립할 수 있다.

④ 제1항부터 제3항까지에서 규정한 사항 외에 재난안전의무보험의 분석·평가, 개선권고의 절차·방법 및 정비계획의 수립 절차·방법 등에 관하여 필요한 사항은 대통령령으로 정한다.

재난안전의무보험 분석·평가 절차 등

① 행정안전부장관은 법 제76조의3제1항에 따라 재난안전의무보험에 관한 법령과 재난안전의무보험의 관리·운용 등이 법 제76조의2제1항에 따른 기준에 적합한지 등을 분석·평가하는 경우에는 분석·평가계획을 수립하여 재난안전의무보험 관련 법령을 주관하거나 재난안전의무보험의 운용을 주관하는 중앙행정기관의 장 등(이하 "재난안전의무보험주관기관의장"이라 한다)에

게 통보해야 한다.

② 제1항에 따른 분석·평가계획을 통보받은 재난안전의무보험주관기관의장은 분석·평가에 필요한 자료를 작성하여 통보받은 날부터 3개월 이내에 행정안전부장관에게 제출해야 한다.

③ 행정안전부장관은 법 제76조의3제1항에 따라 분석·평가를 실시한 경우에는 그 결과를 재난안전의무보험주관기관의장에게 통보해야 한다.

④ 재난안전의무보험주관기관의장은 법 제76조의3제2항에 따라 관련 법령의 개정권고, 재난안전의무보험의 관리·운용에 대한 개선권고 등(이하 이 조에서 "개선권고등"이라 한다)을 받은 경우에는 법 제76조의3제3항에 따른 재난안전의무보험 제도개선에 관한 계획(이하 이 조에서 "제도개선계획"이라 한다)을 수립하여 개선권고등을 받은 날부터 30일 이내에 행정안전부장관에게 제출해야 한다. 이 경우 개선권고등을 이행할 수 없는 경우에는 그 사유를 제출해야 한다.

⑤ 행정안전부장관은 법 제76조의3제3항에 따라 제도개선계획을 종합한 정비계획을 수립한 경우에는 이를 중앙위원회에 보고해야 한다.

(17) 재난안전의무보험 종합정보시스템의 구축·운영 등

① 행정안전부장관은 재난안전의무보험 관리·운용의 효율성을 높이고, 재난안전의무보험 관련 자료 또는 정보를 체계적으로 수집하여 종합적으로 관리할 수 있도록 재난안전의무보험 종합정보시스템을 구축·운영할 수 있다.

② 행정안전부장관은 제1항에 따른 재난안전의무보험 종합정보시스템의 구축·운영을 위하여 필요한 경우에는 관계 중앙행정기

관의 장, 지방자치단체의 장, 공공기관, 보험사업자 또는 「보험업법」에 따른 보험 관계 단체의 장 등에게 관련 자료 또는 정보의 제공을 요청하거나 그가 관리·운영하는 재난안전의무보험 관련 전산시스템과 연계하여 자료 또는 정보를 수집할 수 있다. 이경우 관련 자료 또는 정보의 제공을 요청받거나 전산시스템과의 연계 요청을 받은 자는 「개인정보 보호법」 제18조제1항에도 불구하고 특별한 사유가 없으면 이에 따라야 한다.

③ 행정안전부장관은 「개인정보 보호법」 제18조제1항에도 불구하고 이 조 제1항에 따른 재난안전의무보험 종합정보시스템에 수집된 자료 또는 정보를 다른 재난관리책임기관과 공동이용할 수 있고, 보험사업자 또는 「보험업법」에 따른 보험 관계 단체 등이 재난안전의무보험 관련 업무의 수행을 위하여 자료 또는 정보의 제공을 요청하는 경우 그 사용 목적에 해당하는 범위에서 관련 자료 또는 정보를 제공할 수 있다.

④ 제3항에 따라 재난안전의무보험 관련 자료 또는 정보를 공동이용하거나 제공받은 자(관련 업무를 위탁받아 그 업무에 종사하거나 종사하였던 자를 포함한다)는 업무상 알게 된 재난안전의무보험 관련 자료 또는 정보를 누설하거나 권한 없이 다른 사람이 이용하도록 제공하는 등 부당한 목적으로 사용해서는 아니 된다.

⑤ 제1항부터 제4항까지에서 규정한 사항 외에 재난안전의무보험 종합정보시스템의 구축·운영, 재난안전의무보험 관련 자료 또는 정보의 공동이용 및 제공 등에 필요한 사항은 대통령령으로 정한다.

(18) 재난취약시설 보험·공제의 가입 등

② 다음 각 호에 해당하는 시설 중 대통령령으로 정하는 시설을 소유·관리 또는 점유하는 자는 해당 시설에서 발생하는 화재, 붕괴, 폭발 등으로 인한 타인의 생명·신체나 재산상의 손해를 보상하기 위하여 보험 또는 공제에 가입하여야 한다. 이 경우 다른 법률에 따라 그 손해의 보상내용을 충족하는 보험 또는 공제에 가입한 경우에는 이 법에 따른 보험 또는 공제에 가입한 것으로 본다.

1. 「시설물의 안전 및 유지관리에 관한 특별법」 제2조에 따른 시설물

3. 그 밖에 재난이 발생할 경우 타인에게 중대한 피해를 입힐 우려가 있는 시설

「시설물의 안전 및 유지관리에 관한 특별법」 제2조에 따른 재난 관련 보험 또는 공제의 가입대상 시설

1. 숙박업을 하는 시설
2. 관광숙박업을 하는 시설
3. 과학관
4. 물류창고업의 등록 대상 물류창고
5. 박물관 및 미술관
6. 휴게음식점영업 또는 일반음식점영업을 위하여 영업장으로 사용하는 바닥면적의 합계가 100제곱미터 이상인 시설
7. 장례식장
8. 경륜장 또는 경정장
9. 「경륜·경정법」 제9조제2항에 따라 경주장 외의 장소에 설치되는 승자투표권의 발매, 환급금 및 반환금의 지급사무 등을 처리하기 위한 시설
10. 국제회의시설

---

11. 도시·군계획시설로 설치되는 지하도상가
12. 지하상가
13. 도서관
14. 주유소
15.. 여객자동차터미널
16. 전시시설
17. 공동주택으로서 15층 이하의 아파트및 부속건물
18. 경마장
19. 경마장 외의 장소에 설치되는 마권의 발매 등을 처리하기 위한 시설

③ 제2항에 따른 보험 또는 공제의 종류, 보상한도액 및 그 밖에 필요한 사항은 대통령령으로 정한다.

재난 관련 보험 또는 공제의 보상한도액 등

① 보험 또는 공제(이하 "보험등"이라 한다)는 다음 각 호의 구분에 따른 보상한도액의 기준을 모두 충족하는 보험등이어야 한다.
1. 사망 또는 부상의 경우: 피해자 1명당 「자동차손해배상 보장법 시행령」 제3조제1항 및 제2항에 따른 금액의 범위에서 피해자에게 발생한 손해액을 지급할 것
2. 재산상 손해의 경우: 사고 1건당 10억원의 범위에서 피해자에게 발생한 손해액을 지급할 것

② 보험등에 가입하여야 하는 자(이하 "가입의무자"라 한다)는 다음 각 호의 구분에 따른다.
1. 가입대상시설의 소유자와 점유자가 동일한 경우: 소유자
2. 가입대상시설의 소유자와 점유자가 다른 경우: 점유자
3. 소유자 또는 점유자와의 계약에 따라 가입대상시설에 대한 관리책임과 권한을 부여받은 자(이하 "관리자"라 한다)가 있거나 다른 법령에 따라 관리자로 규정된 자가 있는 경우: 관리자

③ 가입의무자는 법 제76조제2항에 따라 다음 각 호의 구분에 따른 시기까

지(보험등의 유효기간이 만료되는 경우에는 그 만료일까지) 보험등에 가입하여야 한다.
1. 별표 3 제1호부터 제7호까지에 해당하는 가입대상시설: 해당 가입대상시설에 대한 허가ㆍ등록ㆍ신고ㆍ면허 또는 승인(이하 "허가등"이라 한다)이 완료된 날부터 30일 이내
2. 별표 3 제8호부터 제19호까지에 해당하는 가입대상시설: 해당 가입대상시설의 본래 사용 목적에 따른 사용 개시 전까지

④ 행정안전부장관은 제2항에 따른 보험 또는 공제의 가입관리 업무를 위하여 필요한 경우 대통령령으로 정하는 바에 따라 중앙행정기관의 장 또는 지방자치단체의 장에게 행정적 조치를 하도록 요청하거나 관계 행정기관, 보험회사 및 보험 관련 단체에 보험 또는 공제의 가입관리 업무에 필요한 자료를 요청할 수 있다. 이 경우 요청을 받은 자는 정당한 사유가 없으면 이에 따라야 한다.

(19) 재난관리 의무 위반에 대한 징계 요구 등

① 국무총리 또는 행정안전부장관은 관계 중앙행정기관의 장 또는 지방자치단체의 장이 이 법에 따른 조치를 하지 아니한 경우에는 대통령령으로 정하는 바에 따라 기관경고 등 필요한 조치를 할 수 있다.

징계 요구 통보 등

① 법 제77조제1항에 따른 기관경고는 해당 기관에 대하여 기관경고장을 교부하는 방법으로 한다.

② 제1항에 따른 기관경고장을 교부받은 기관의 장은 해당 기관의 인터넷 홈페이지에 30일 이상 그 내용을 공개하여야 한다. 다만, 해당 기관의 장이 정당한 사유 없이 공개하지 아니하는 경우에는 행정안전부장관이 인터넷 홈페이지 등을 통하여 직접 공개할 수 있다.

③ 법 제77조제2항 및 제3항에 따른 통보는 서면으로 하여야 한다.

④ 법 제77조제2항 및 제3항에 따라 징계 등의 요구를 통보받은 기관의 장은 자체조사를 실시하여 징계 등 적절한 조치를 하고, 그 조치내용을 60일 이내에 징계 등을 요구한 기관의 장에게 알려야 한다. 다만, 자체조사가 완료되지 아니하는 등 특별한 사유가 있는 경우에는 30일을 넘지 아니하는 범위에서 그 기간을 연장할 수 있다.

⑤ 법 제77조제5항에 따라 사실 입증에 필요한 조사를 하는 공무원은 관련 자료의 제출 및 관련 공무원 또는 직원과의 면담을 요구할 수 있다. 이 경우 사실 입증을 위하여 확인서, 질문서, 문답서 등의 자료를 작성할 수 있다.

⑥ 제1항부터 제5항까지에서 규정한 사항 외에 징계 요구의 통보 등에 필요한 사항은 행정안전부령으로 정한다.

② 행정안전부장관, 시·도지사 또는 시장·군수·구청장은 이 법에 따른 재난예방조치·재난응급조치·안전점검·재난상황관리·재난복구 등의 업무를 수행할 때 지시를 위반하거나 부과된 임무를 게을리한 재난관리책임기관의 공무원 또는 직원의 명단을 해당 공무원 또는 직원의 소속 기관의 장 또는 단체의 장에게 통보하고, 그 소속 기관의 장 또는 단체의 장에게 해당 공무원 또는 직원에 대한 징계 등을 요구할 수 있다. 이 경우 그 사실을 입증할 수 있는 관계 자료를 그 소속 기관 또는 단체의 장에게 함께 통보하여야 한다.

③ 중앙통제단장 또는 지역통제단장은 현장지휘에 따르지 아니하거나 부과된 임무를 게을리한 긴급구조요원의 명단을 해당 긴급구조요원의 소속 기관 또는 단체의 장에게 통보하고, 그 소속 기관의 장 또는 단체의 장에게 해당 긴급구조요원에 대한 징계를 요구할 수 있다. 이 경우 그 사실을 입증할 수 있는 관계 자료를 그 소속 기관 또는 단체의 장에게 함께 통보하여야 한다.

④ 제2항과 제3항에 따라 통보를 받은 소속 기관의 장 또는 단체의 장은 해당 공무원 또는 직원에 대한 징계 등 적절한 조치를 하고, 그 결과를 해당 기관의 장에게 통보하여야 한다.

⑤ 행정안전부장관, 시·도지사, 시장·군수·구청장, 중앙통제단장 및 지역통제단장은 제2항 및 제3항에 따른 사실 입증을 위한 전담기구를 편성하는 등 소속 공무원으로 하여금 필요한 조사를 하게 할 수 있다. 이 경우 조사공무원은 그 권한을 표시하는 증

표를 제시하여야 한다.

⑥ 행정안전부장관은 제5항에 따른 조사의 실효성 제고를 위하여 대통령령으로 정하는 전담기구 협의회를 구성·운영할 수 있다.

전담기구 협의회의 구성·운영 등

① 법 제77조제6항에 따른 전담기구 협의회(이하 "전담기구협의회"라 한다)는 다음 각 호의 사항을 협의한다.
1. 법 제77조제5항에 따른 전담기구 간 조사계획·활동 등의 협조
2. 조사활동 개선에 관한 사항
3. 조사 및 처분기준 등에 관한 사항
4. 그 밖에 전담기구 운영 및 중복조사 방지 등 효율적인 조사활동을 위하여 전담기구협의회의 위원장이 필요하다고 인정하는 사항

② 전담기구협의회는 위원장 1명을 포함하여 80명 이내의 위원으로 구성한다.

③ 전담기구협의회의 위원장은 행정안전부 재난안전관리본부장이 된다.

④ 전담기구협의회의 위원은 재난관리책임기관에서 법 제77조제5항에 따른 조사업무를 담당하는 국장급 이상의 공무원 또는 이에 준하는 직원이 된다.

⑤ 전담기구의 조사활동에 관하여 전문적이고 다양한 의견을 수렴하기 위하여 전담기구협의회에 자문위원회를 둘 수 있다.

⑥ 전담기구협의회를 지원하기 위하여 시·도에 지역 전담기구 협의회를 둘 수 있으며, 지역 전담기구 협의회의 구성·운영에 필요한 사항은 해당 지방자치단체의 조례로 정한다.

⑦ 제1항부터 제6항까지에서 규정한 사항 외에 전담기구협의회의 운영에 필요한 사항은 행정안전부장관이 정한다.

---

⑦ 제2항·제3항에 따른 통보 및 제5항에 따른 조사에 필요한 사항은 대통령령으로 정한다.

징계 요구 통보 등

① 법 제77조제1항에 따른 기관경고는 해당 기관에 대하여 기관경고장을 교부하는 방법으로 한다.

② 제1항에 따른 기관경고장을 교부받은 기관의 장은 해당 기관의 인터넷 홈페이지에 30일 이상 그 내용을 공개하여야 한다. 다만, 해당 기관의 장이 정당한 사유 없이 공개하지 아니하는 경우에는 행정안전부장관이 인터넷 홈페이지 등을 통하여 직접 공개할 수 있다.

③ 법 제77조제2항 및 제3항에 따른 통보는 서면으로 하여야 한다.

④ 법 제77조제2항 및 제3항에 따라 징계 등의 요구를 통보받은 기관의 장은 자체조사를 실시하여 징계 등 적절한 조치를 하고, 그 조치내용을 60일 이내에 징계 등을 요구한 기관의 장에게 알려야 한다. 다만, 자체조사가 완료되지 아니하는 등 특별한 사유가 있는 경우에는 30일을 넘지 아니하는 범위에서 그 기간을 연장할 수 있다.

⑤ 법 제77조제5항에 따라 사실 입증에 필요한 조사를 하는 공무원은 관련 자료의 제출 및 관련 공무원 또는 직원과의 면담을 요구할 수 있다. 이 경우 사실 입증을 위하여 확인서, 질문서, 문답서 등의 자료를 작성할 수 있다.

⑥ 제1항부터 제5항까지에서 규정한 사항 외에 징계 요구의 통보 등에 필요한 사항은 행정안전부령으로 정한다.

(20) 적극행정에 대한 면책

① 제77조제2항 및 제3항에 따른 재난관리책임기관의 공무원, 직원 및 긴급구조요원이 재난안전 사고를 예방하고 피해를 최소화하기 위하여 업무를 적극적으로 추진한 결과에 대하여 그의 행위에 고의 또는 중대한 과실이 없는 경우에는 같은 조 제2항 및 제3항에 따른 명단 통보 및 징계 등 요구를 하지 아니하거나 같은 조 제4항에 따른 징계 등의 책임을 묻지 아니한다.

② 다음 각 호의 사람이 제61조 또는 제66조제3항에 따른 지원 업무를 적극적으로 처리한 결과에 대하여 그의 행위에 고의나 중대한 과실이 없는 경우에는 관계 법령에 따른 징계 또는 제재 등 책임을 묻지 아니한다.
1. 「감사원법」 제22조부터 제24조까지에 따른 회계검사와 감찰 대상 공무원 및 임직원
2. 「금융위원회의 설치 등에 관한 법률」 제38조에 따른 검사 대상 기관 소속 임직원

③ 제1항에 따른 면책의 구체적인 기준, 운영절차 및 그 밖에 필요한 사항은 대통령령으로 정한다. 다만, 제2항제1호 및 제2호의 사람에 관한 사항은 감사원과 금융위원회의 규칙을 각각 따른다.

저자 소개

박찬석 교수

2006년 14기 소방간부후보생 시험에 합격하여 7년간 소방간부로써 공직자의 길을 걸었다. 재난과학박사 학위를 마치고 2013년 대학의 소방학과로 자리를 옮겨 현재까지 교수로써 소방인 양성에 힘쓰고 있다.

현재 소방청·충청북도·경상북도 소방안전분야 정책자문위원으로 자문활동 중이며, 소방간부후보생 시험·소방공무원시험·방재안전직 시험·한국공항공사 소방원시험의 출제 및 검토 위원으로 활동중에 있다.